ARSÈNE LUPIN

MAURICE LEBLANC

ARSÈNE LUPIN
E A MANSÃO MISTERIOSA

Tradução
Francisco José
Mendonça Couto

Esta é uma publicação Principis, selo exclusivo da Ciranda Cultural
© 2021 Ciranda Cultural Editora e Distribuidora Ltda.

Traduzido do original em francês
La Demeure mystérieuse

Texto
Maurice Leblanc

Tradução
Francisco José Mendonça Couto

Preparação
Jéthero Cardoso

Revisão
Cleusa S. Quadros

Produção editorial
Ciranda Cultural

Diagramação
Linea Editora

Design de capa
Ciranda Cultural

Imagens
alex74/shutterstock.com;
YurkaImmortal/shutterstock.com;
Elena Iargina/shutterstock.com;
Special View/shutterstock.com;
funkyplayer/shutterstock.com;
Save nature and wildlife/shutterstock.com

Dados Internacionais de Catalogação na Publicação (CIP) de acordo com ISBD

M425a	Leblanc, Maurice
	Arsène Lupin e a mansão misteriosa / Maurice Leblanc ; traduzido por Francisco José Mendonça Couto. – Jandira, SP : Principis, 2021. 192 p. ; 15,5cm x 22,6cm. - (Arsène Lupin)
	Tradução de: La Demeure mystérieuse ISBN: 978-65-5552-541-0
	1. Literatura francesa. 2. Ficção. I. Couto, Francisco José Mendonça. II. Título. III. Série.
2021-2056	CDD 843 CDU 821.133.1-3

Elaborado por Vagner Rodolfo da Silva - CRB-8/9410

Índice para catálogo sistemático:
1. Literatura francesa : Ficção 843
2. Literatura francesa : Ficção 821.133.1-3

1ª edição em 2021
www.cirandacultural.com.br
Todos os direitos reservados.
Nenhuma parte desta publicação pode ser reproduzida, arquivada em sistema de busca ou transmitida por qualquer meio, seja ele eletrônico, fotocópia, gravação ou outros, sem prévia autorização do detentor dos direitos, e não pode circular encadernada ou encapada de maneira distinta daquela em que foi publicada, ou sem que as mesmas condições sejam impostas aos compradores subsequentes.

SUMÁRIO

Trechos inéditos das memórias de Arsène Lupin 7

Régine, atriz 9

Arlette, modelo 21

D'Enneris, cavalheiro-detetive 33

Béchoux, policial 46

É esse o inimigo? 62

O segredo dos Mélamare 73

Fagerault, o salvador 85

Os Martin, incendiários 100

O noivado de Arlette 117

O soco 132

A Valnéry, moça graciosa 146

Arsène Lupin 162

Epílogo – Arlette e Jean 180

TRECHOS INÉDITOS DAS MEMÓRIAS DE ARSÈNE LUPIN

Ao escrever os livros em que, tão fielmente quanto possível, conto algumas de minhas aventuras, dei-me conta de que, afinal, cada uma delas resultou de um ímpeto espontâneo que me lançou em busca de uma mulher. O Tosão de Ouro se transformou, mas era sempre o Tosão de Ouro que eu procurava conquistar. E como, por outro lado, as circunstâncias me obrigavam toda vez a mudar de nome e de personalidade, eu tinha, em cada ocasião, a impressão de que começava uma vida nova, antes da qual ainda não tinha amado, depois da qual não amaria.

Assim, quando volto os olhos para o passado, não é Arsène Lupin que avisto aos pés da condessa Cagliostro, ou de Sonia Krichnoff, ou de Dolorès Kesselbach, ou da garota de olhos verdes… é Raoul d'Andrésy, o duque de Charmerace, Paul Sernine ou o barão de Limésy. Todos me parecem diferentes de mim, e diferentes uns dos outros. Eles me divertem, me inquietam, me fazem sorrir, me atormentam, como se eu não tivesse vivido, eu mesmo, seus diversos amores.

Em meio a todos esses aventureiros, que para mim se assemelham a irmãos desconhecidos, talvez eu tenha alguma preferência pelo visconde d'Enneris, cavalheiro-navegador e cavalheiro-detetive, que batalhou em torno da mansão misteriosa para conquistar o coração da emocionante Arlette, pequena modelo de Paris...

RÉGINE, ATRIZ

A ideia, encantadora, tinha recebido a melhor acolhida nesta Paris generosa, que associa de boa vontade seus prazeres a manifestações beneficentes. Tratava-se de apresentar no palco do Théâtre de l'Opéra, entre dois balés, vinte belas mulheres, artistas ou da sociedade, vestidas pelos maiores estilistas. O voto dos espectadores designaria os três vestidos mais bonitos, e a receita dessa noitada seria distribuída aos três ateliês que os tivessem confeccionado. Resultado: uma viagem de quinze dias pela Riviera para um certo número de costureirinhas.

Desde logo um movimento se iniciou. Em quarenta e oito horas a sala ficou lotada, até os menores lugares. E, na noite da apresentação, a multidão se apressava, elegante, ruidosa e cheia de uma curiosidade que crescia de minuto em minuto.

No fundo, as circunstâncias fizeram com que essa curiosidade se reunisse, por assim dizer, em um único ponto, e que todas as palavras trocadas tivessem por objeto uma mesma coisa, que fornecia às conversas um alimento inesgotável. Sabia-se que a admirável Régine Aubry, cantora esporádica de pequenos teatros, mas de grande beleza, devia aparecer com um vestido de Valmenet, coberto por uma maravilhosa túnica ornada com os mais puros diamantes.

E o interesse por uma questão de interesse palpitante redobrou: a admirável Régine Aubry, que havia meses era perseguida pelo riquíssimo lapidador Van Houben, teria cedido à paixão deste, que era chamado de o Imperador do Diamante? Tudo parecia indicar que sim. Na véspera, em uma entrevista, a admirável Régine respondera:

"Amanhã estarei vestida de diamantes. Quatro ourives escolhidos por Van Houben estão em meu quarto tratando de prendê-los em um corpete e em uma túnica de prata. Valmenet está ali dirigindo o trabalho."

Ora, Régine reinava em seu camarim no balcão, esperando sua vez de se apresentar, e a multidão desfilava diante dela como diante de um ídolo. Régine tinha na verdade direito ao epíteto de admirável que sempre acompanhara seu nome. Por um fenômeno singular, seu rosto aliava o que havia de nobre e de casto na beleza antiga a tudo aquilo que hoje achamos gracioso, sedutor e expressivo. Um casaco de pelica envolvia seus ombros famosos e ocultava a túnica miraculosa. Ela sorria, feliz e simpática. Sabia-se que diante das portas do corredor três detetives vigiavam, robustos e sérios, como policiais ingleses.

No interior do camarim, dois senhores estavam de pé: um era o gordo Van Houben, o galante lapidador, que lembrava, por seu penteado e pelo ruge colocado nas maçãs de seu rosto, uma pitoresca cabeça de fauno. Ignorava-se a origem exata de sua fortuna. Antigamente comerciante de peles falsas, retornou de uma longa viagem transformado em poderoso senhor dos diamantes, sem que fosse possível dizer como se teria operado essa metamorfose.

O outro companheiro de Régine estava na penumbra. Percebia-se que era jovem e de silhueta ao mesmo tempo magra e vigorosa. Era o famoso Jean d'Enneris, que três meses antes desembarcara do barco a motor com o qual tinha dado sozinho a volta ao mundo. Na semana anterior, Van Houben, que acabava de conhecê-lo, o havia apresentado a Régine.

O primeiro balé se desenrolou em meio a uma desatenção geral. Durante o intervalo, Régine, pronta para entrar, conversava no fundo de seu camarim. Mostrava-se mais cáustica e agressiva com Van Houben e, ao contrário, amável com d'Enneris, como uma mulher que procura agradar.

– Eh, eh, Régine! – disse-lhe Van Houben, que parecia agastado com a situação. – Vai virar a cabeça do navegador. Imagine que, após um ano vivendo sobre a água, um homem se inflame facilmente.

Van Houben sempre ria muito alto de suas brincadeiras mais vulgares.

– Meu caro – observou Régine –, se não fosse o primeiro a rir, eu nunca perceberia que estava tentando ser espirituoso.

Van Houben suspirou e, afetando um ar lúgubre, advertiu:

– D'Enneris, um conselho: não perca a cabeça por essa mulher. Eu perdi a minha e estou infeliz como uma pilha de pedras... de pedras preciosas – acrescentou, com uma pesada pirueta.

No palco, o desfile de vestidos começava. Cada uma das concorrentes permanecia cerca de dois minutos, sentava-se, andava como as modelos nos salões de alta-costura.

Aproximando-se sua vez, Régine se ergueu.

– Estou um pouco nervosa – disse ela. – Se eu não conseguir o primeiro prêmio, dou um tiro na cabeça. Senhor d'Enneris, em quem vai votar?

– Na mais bela – respondeu ele, inclinando-se.

– Estamos falando do vestido...

– O vestido para mim é indiferente. É a beleza do rosto e o encanto do corpo que importam.

– Está bem – disse Régine –, a beleza e o encanto, admire isso então na jovem que estão aplaudindo neste momento. É uma modelo da Maison Chernitz, da qual os jornais falaram, que desenhou ela mesma seu traje e confiou a execução dele a suas colegas. É encantadora essa menina.

A jovem, com efeito, magra, suave, harmoniosa nos gestos e atitudes, dava a impressão de ser a própria graça, e em seu corpo bem torneado o vestido, apesar de muito simples, de linhas infinitamente puras, revelava um gosto perfeito e uma imaginação original.

– Arlette Mazolle, não é? – perguntou Jean d'Enneris, consultando o programa.

– Sim – disse Régine.

E acrescentou, sem azedume nem inveja:

– Se eu fosse membro do júri, não hesitaria em colocar Arlette Mazolle em primeiro lugar nesse concurso.

Van Houben ficou indignado.

– E sua túnica, Régine? O que vale a roupa dessa modelo ao lado de sua túnica?

– O preço não vem ao caso...

– O preço conta acima de tudo, Régine. E é por isso que lhe peço atenção.

– A quê?

– Aos assaltantes. Lembre-se de que sua túnica não é tecida com caroços de pêssego.

Ela desatou a rir. Mas Jean d'Enneris aprovou.

– Van Houben tem razão, e nós deveríamos acompanhá-la.

– Nunca na vida – protestou Régine. – Faço questão que me digam o efeito que produzo aqui, e se não pareço muito desajeitada no palco do teatro.

– E depois – disse Van Houben –, Béchoux, o delegado da Sûreté[1], responde por tudo.

– Então, conhece Béchoux? – disse d'Enneris com um ar interessado...

– Béchoux, o policial que se tornou célebre por sua colaboração com o misterioso Jim Barnett, da Agência Barnett e Associados?...

– Ah! Não se deve de falar dele com Béchoux, não fale desse maldito Barnett. Isso o deixa doente. Parece que Barnett fez dele gato e sapato!

– Sim, ouvi falar disso... A história do homem de dentes de ouro? E das doze *Africanas* de Béchoux? Então foi Béchoux quem se encarregou da proteção dos diamantes?

– Sim, ele saiu de viagem por uns dez dias. Mas contratou a preço de ouro três antigos policiais, os grandalhões que vigiam a porta.

---

[1] Sûreté, em muitos países ou regiões falantes do francês, é uma organização civil policial, particularmente ligada a detetives. (N.T.)

D'Enneris observou:

— Poderia contratar um regimento que não seria suficiente para enganar certos espertalhões...

Régine se levantou e, ladeada por seus detetives, saiu da sala e passou para os bastidores. Como ela desfilaria em décimo primeiro lugar e havia um ligeiro intervalo após a décima concorrente, uma espera quase solene precedeu sua entrada. Fez-se silêncio. Todos estavam na expectativa. E, subitamente, uma formidável aclamação: Régine se aproximava.

Há nas reuniões da beleza perfeita e da suprema elegância um prestígio que comove as multidões. Entre a admirável Régine Aubry e o luxo refinado de seu traje havia uma harmonia que impressionava sem que se soubesse por quê. Porém sobretudo o brilho das joias prendia os olhares. Por cima da saia, uma túnica de lamê de prata colava-se ao corpo com um cinto de pedrarias, e o peito era envolvido por um corpete que parecia feito unicamente de diamantes. Eles ofuscavam. Seu brilho se entrecruzava até formar em torno do busto como que uma trama leve, multicolorida e tremulante.

— Caramba! — disse Van Houben. — São ainda mais bonitas do que eu imaginava, essas santas pedras! E como ela sabe ostentá-las, a espertinha!

Modulou uma risadinha.

— D'Enneris, vou lhe confiar um segredo. Sabe por que enfeitei Régine com essas pedras? Bem, primeiro para presenteá-la no dia em que ela me concedesse sua mão... sua mão esquerda, é claro (e caiu na risada), e depois porque isso me permite recompensá-la com uma guarda de honra que me informe um pouco sobre os fatos e gestos. Não é que eu receie os apaixonados... mas sou daqueles que abrem o olho... e o bom!

Deu um tapinha no ombro de seu companheiro como se dissesse: "E você, meu rapaz, não venha competir". D'Enneris o acalmou.

— De minha parte, Van Houben, pode ficar tranquilo. Nunca faço a corte a mulheres ou amigas de meus amigos.

Van Houben fez uma careta. Jean d'Enneris havia lhe falado, como habitualmente, com um ligeiro tom de ironia que podia adquirir naquela circunstância um significado bastante injurioso. Resolveu ir mais a fundo na questão e se inclinou para d'Enneris.

– Resta saber se me conta como um de seus amigos?

D'Enneris, por sua vez, segurou seu braço.

– Cale-se...

– Hein? O quê? Está agindo de uma maneira...

– Cale-se.

– O que está acontecendo?

– Alguma coisa de anormal.

– Onde?

– Nos bastidores.

– A propósito de quê?

– A propósito de seus diamantes.

Van Houben pulou do seu lugar.

– E então?

– Escute.

Van Houben prestou atenção.

– Não estou ouvindo nada.

– Talvez eu esteja enganado – admitiu d'Enneris. No entanto, parecia...

Não terminou. Os primeiros lugares da orquestra e os primeiros lugares dos camarins do palco se agitavam, e via-se que estava acontecendo, nos fundos dos bastidores, alguma coisa que havia chamado a atenção de d'Enneris. As pessoas tinham se levantado, mostrando-se amedrontadas. Dois homens de farda correram pelo palco. E subitamente se ouviram clamores. Um contrarregra aflito gritou:

– Fogo! Fogo!

Um clarão surgiu à direita. Subiu um pouco de fumaça. De um lado a outro do palco, todos os assistentes de palco e figurantes corriam na mesma direção. Entre eles pulou um homem que também se aproximava da direita, segurando na ponta dos braços estendidos um casaco de lã que escondia seu rosto e vociferando como os contrarregras:

– Fogo! Fogo!

Régine logo quis sair, mas suas forças a haviam traído e ela estava caída de joelhos, desmaiada. O homem a envolveu no casaco, lançou-a sobre seus ombros e a salvou, por entre a multidão de fugitivos.

Antes mesmo que ele tivesse agido, talvez antes mesmo que tivesse aparecido, Jean d'Enneris havia se erguido na beira de seu camarim e gritava, dominando o rumor da multidão do térreo, que o pânico já agitava:

– Ninguém se mexa! É uma armadilha!

E, apontando para o homem que levava Régine, gritou:

– Peguem-no! Peguem-no!

Era muito tarde, porém, e o incidente passou despercebido. Nas poltronas, as pessoas se acalmavam. Mas, no palco, a debandada continuava, em um tumulto tal que ninguém podia ouvir ninguém. D'Enneris pulou, alcançou a sala e a orquestra e, sem esforço, escalou o palco. Seguiu o tropel aflito e chegou até a saída dos artistas, que dava para o boulevard Haussmann. Mas onde procurar? A quem se dirigir para encontrar Régine Aubry?

Avistou o gordo Van Houben, esfalfado, com o ruge das maçãs do rosto, diluído pelo suor, escorrendo pelas faces, e lhe disse:

– Escamoteada! Graças aos seus santos diamantes... O indivíduo deve tê-la jogado dentro de algum automóvel rápido demais para recebê-la.

Van Houben tirou um revólver do bolso. D'Enneris torceu-lhe o punho.

– Não vá se matar, hein?

– Opa, não! – disse o outro –, mas matá-lo.

– Quem?

– O ladrão. Vamos encontrá-lo! É preciso encontrá-lo. Moverei céus e terra!

Estava com falta de ar e girava sobre si mesmo como um pião, em meio às pessoas que riam.

– Meus diamantes! Não vou deixá-lo me fazer isso! Não tem o direito...! O Estado é responsável...

D'Enneris não havia se enganado. O indivíduo, tendo sobre os ombros Régine desmaiada e coberta por um casaco de lã, tinha atravessado

o boulevard Haussmann e se dirigira para a Rua de Mogador. Um carro estava parado ali. Quando ele se aproximou, a porta se abriu e uma mulher, com a cabeça envolvida por um espesso lenço de renda, estendeu os braços. O indivíduo lhe passou Régine, dizendo:
– O golpe deu certo... Um verdadeiro milagre!
Depois, fechou a porta, subiu no assento da frente e arrancou.
O adormecimento em que o susto havia mergulhado a atriz durou pouco. Ela despertou assim que teve a impressão de que se afastava do incêndio, ou daquilo que acreditava ser um incêndio, e sua primeira ideia foi agradecer àquele ou àqueles que a tinham salvado. Mas, em seguida, sentiu-se abafada por alguma coisa que lhe envolvia a cabeça e a impedia de respirar direito e de ver.
– O que está acontecendo? – murmurou ela.
Uma voz muito grave, que parecia uma voz de mulher, lhe disse ao ouvido:
– Não se mexa. E se gritar por socorro, pior para você, menina.
Régine sentiu uma dor aguda no ombro e gritou.
– Não é nada – disse a mulher. – A ponta de uma faca... Preciso mantê-la assim?
Régine não se mexeu mais. No entanto, organizou suas ideias: a situação se mostrava em seu verdadeiro aspecto, e, lembrando-se das chamas entrevistas e do começo de incêndio, repetia-se:
"Fui erguida... erguida por um homem que se aproveitou do pânico... e que me levou com a ajuda de uma cúmplice..."
De leve, tateou com a mão livre: o corpete de diamantes lá estava e devia estar intacto.
O carro corria a grande velocidade. Quanto a adivinhar o caminho que seguia, Régine, na prisão de trevas em que se encontrava, não fazia ideia. Ela tinha a impressão de que o carro virava várias vezes, em curvas bruscas, sem dúvida para escapar de uma possível perseguição e para que ela não pudesse reconhecer o caminho.

Em todo caso, o carro não havia parado em nenhum posto de pedágio, o que provava que não tinham saído de Paris. Ademais, as luzes dos lampiões elétricos se sucediam a intervalos próximos e lançavam dentro do carro vivos clarões que ela percebia.

Foi assim que, a mulher tendo relaxado um pouco suas amarras e percebendo o casaco ligeiramente aberto, Régine pôde ver dois dedos da mão que se crispavam em volta da lã, e um desses deles, o indicador, levava um anel feito de três pequenas finas pérolas dispostas em um triângulo.

O trajeto durou talvez uns vinte minutos. Depois o carro diminuiu a marcha e parou. A mulher vedou o máximo possível os olhos de Régine e, auxiliada pelo cúmplice, ajudou-a a descer do carro. O homem pulou do assento. As duas folhas de uma porta se abriram pesadamente uma após outra, e eles entraram no que devia ser um corredor interno.

Subiram uma escadinha de seis degraus de pedra.

Depois atravessaram um vestíbulo de lajotas e subiram em seguida os vinte e cinco degraus de uma escada, protegida por um tapete e ladeada por um velho corrimão, que os conduziu a uma sala do primeiro andar.

O homem, por sua vez, disse a Régine, com voz igualmente baixa e bem junto a seu ouvido:

– Chegamos. Não gosto de agir com brutalidade, e nada lhe acontecerá se me entregar sua túnica de diamantes. Concorda?

– Não – respondeu rapidamente Régine.

– Para nós é fácil tirá-la de você, e já podíamos ter feito isso no carro.

– Não, não – disse ela, com uma excitação febril. Não esta túnica... Não...

O indivíduo afirmou:

– Arrisquei tudo para tê-la. E agora eu a tenho. Não resista.

A atriz se encolheu em um violento esforço. Mas ele murmurou, bem perto dela:

– Devo eu mesmo fazer isso?

Régine sentiu uma mão dura agarrar seu corpete e esfolar a pele de seu pescoço. Então, amedrontada, disse:

— Não me toque! Eu o proíbo... Aí está... tudo o que você queria... eu lhe entrego tudo... mas não toque em mim!

Ele se afastou um pouco, permanecendo atrás dela. O casaco de lã deslizou ao longo do corpo de Régine e ela reconheceu que aquela roupa era sua. Sentou-se, esgotada. Podia ver agora a sala em que se encontrava, e viu que a mulher camuflada, que começava a desabotoar o corpete de pedrarias e a túnica de prata, usava uma roupa cor de ameixa com faixas de veludo preto.

A sala, muito clara com a iluminação elétrica, era na verdade um salão de grandes dimensões, com poltronas e cadeiras forradas de seda azul, altas tapeçarias, consoles e lambris de madeira branca admiráveis, em sua maioria no estilo Luís XVI. Um painel de madeira cobria a parede acima da lareira, que era ornamentada por dois vasos de bronze dourado e um relógio de pêndulo de mármore verde. Nas paredes, quatro luminárias e, no teto, dois lustres feitos com milhares de pequenos cristais talhados.

Inconscientemente, Régine registrou todos esses detalhes, enquanto a mulher retirava a túnica e o corpete, deixando-a simplesmente com a capa de lamê de prata que deixava à vista seus braços e ombros. Régine notou também o assoalho formado por lâminas cruzadas, de madeiras diversas, e observou um tamborete com pés de acaju.

Tinham terminado. A luz se apagou de repente. Na sombra, ela ouviu:

— Perfeito. Você se comportou razoavelmente. Vamos levá-la de volta. Tome, aqui está seu casaco de lã.

Envolveram sua cabeça em um pano leve que devia ser um véu de renda semelhante àquele da mulher. Depois ela foi colocada no automóvel, e recomeçou a viagem com as mesmas viradas bruscas.

— Chegamos — sussurrou o homem abrindo a porta e fazendo-a descer. — Como pode ver, não foi nada sério, e você voltou sem uma esfoladela. Mas, se posso lhe dar um conselho, é que não diga uma palavra sobre o que possa ter visto ou adivinhado. Seus diamantes foram roubados. É tudo, ponto. Esqueça o resto. Meus respeitosos cumprimentos.

O carro arrancou rapidamente. Régine retirou o véu e reconheceu a Praça do Trocadéro. Por mais perto que estivesse de seu apartamento (ela morava na entrada da Avenida Henri-Martin), precisou fazer muito esforço para chegar até lá. Suas pernas se vergavam sob o corpo, o coração palpitava tanto que doía. Parecia-lhe a todo instante que ia rodopiar e cair como uma massa inerte. Mas, no momento em que suas forças a abandonavam, avistou alguém que vinha correndo em sua direção, e se deixou cair nos braços de Jean d'Enneris, que se sentou em um banco da avenida deserta.

– Eu a esperava – disse ele ternamente. – Estava certo de que eles a reconduziriam até perto de sua casa, tão logo os diamantes fossem roubados. Por que manteriam você lá? Teria sido muito perigoso. Descanse alguns minutos... e pare de chorar.

Ela soluçava, repentinamente relaxada e tomada de uma súbita confiança naquele homem que mal conhecia.

– Tive tanto medo... – disse ela – e tenho medo ainda... E depois esses diamantes...

Um instante mais tarde ele a fez entrar, colocou-a no elevador e a conduziu até a casa.

Encontraram a camareira, que chegava assustada do l'Opéra, e os outros criados. Depois Van Houben irrompeu ali, com os olhos fora da órbita.

– Meus diamantes! Vai devolvê-los, hein, Régine...? Você os defendeu até a morte, meus diamantes...?

Ele constatou que o valioso corpete e a túnica haviam sido arrancados e teve um acesso de delírio. Jean d'Enneris ordenou-lhe:

– Cale-se... Está vendo muito bem que a senhorita precisa de repouso.

– Meus diamantes! Foram perdidos... Ah! Se Béchoux estivesse lá! Meus diamantes!

– Eu os reaverei. Deixe-nos em paz.

Em um divã, Régine se agitava com espasmos e gemidos. D'Enneris começou a beijar-lhe a testa e os cabelos, sem pressionar muito, de maneira calma.

– Mas é inconcebível! – exclamou Van Houben, fora de si. – O que está fazendo?

– Deixe, deixe – disse Jean d'Enneris. – Nada mais reconfortante do que uma pequena massagem. O sistema nervoso se equilibra, o sangue flui melhor, um calor benfazejo circula pelas veias. É como esses passes magnéticos.

E, sob os olhares furibundos de Ban Houben, d'Enneris continuou sua agradável tarefa, enquanto Régine renascia para a vida e parecia responder com complacência a esse engenhoso tratamento.

ARLETTE, MODELO

Era o fim da tarde, oito dias depois. Os clientes do grande estilista Chernitz começavam a deixar os amplos salões da Rua do Mont-Thabor e, na sala reservada às manequins, Arlette Mazolle e suas colegas, menos ocupadas com as apresentações, podiam se entregar a suas ocupações favoritas, ou seja, tirar a sorte nas cartas, jogar baralho e comer chocolate.

– Decididamente, Arlette – exclamou uma delas –, as cartas para você só anunciam aventuras, felicidade e sorte.

– E elas falam a verdade – disse outra –, porque a sorte de Arlette já começou na outra noite, no concurso do Opéra. O primeiro lugar!

Arlette afirmou:

– Eu não mereci. Régine Aubry foi melhor do que eu.

– Bobagens! Nós votamos em você, em massa.

– As pessoas não sabiam o que faziam. O começo do incêndio esvaziou três quartos da sala. O voto não valeu.

– Evidentemente, você está sempre pronta a se apagar diante das outras, Arlette. Não impede que ela deva estar furiosa, Régine Aubry!

– Pois bem, não é nada disso. Ela veio me ver, e eu lhe asseguro que ela me abraçou e de coração.

– Ela deu um abraço "amarelo".
– Por que ela teria ciúme? Ela é tão linda!
Uma "mãozinha" veio trazer um jornal da noite. Arlette o abriu e disse:
– Ah! Vejam, falam do concurso: "O roubo dos diamantes...".
– Leia para nós, Arlette.
– Vamos lá: "O misterioso incidente do Opéra não saiu ainda da fase de investigações. A hipótese mais geralmente aceita, tanto no Ministério Público como na chefatura de polícia, seria a de que nos encontramos frente a um golpe preparado com a intenção de roubar os diamantes de Régine Aubry. Não há sinais, nem mesmo aproximados, do homem que raptou a bela artista, já que disfarçou o rosto. Supõe-se que seja aquele que penetrou no Opéra como entregador, com enormes buquês de flores que depositou junto a uma porta. A camareira se lembra vagamente de tê-lo visto e acha que ele tinha sapatos bicolores de bico claro. Os buquês deviam ser falsos e feitos de um material facilmente inflamável, que foi fácil de incendiar. Ele pôde assim se aproveitar do inevitável pânico que esse começo de incêndio desencadeou, como havia previsto, para arrancar o casaco de lã dos braços da camareira e executar seu plano. Não se pode dizer mais, uma vez que Régine Aubry, várias vezes interrogada, não consegue relatar com precisão o caminho seguido pelo automóvel, dar sua impressão sobre o raptor e sua cúmplice e, fora alguns detalhes secundários, descrever a casa onde ela foi despojada de seu valioso corpete".
– Disso é que eu teria medo, sozinha nessa mansão com aquele homem e aquela mulher! E você, Arlette?
– Eu também. Mas eu me debateria bastante... Tenho coragem no momento. Depois é que eu desmaio.
– Mas esse indivíduo, você o viu passar por ali, pelo Opéra?
– Não vi nada! Vi uma sombra que carregava outra, nem mesmo me perguntei o que era. Estava aflita para me salvar. Pense, então! O fogo!
– E você não observou nada?
– Sim. A cabeça de Van Houben, nos bastidores.

– Você o conhecia então?

– Não, mas ele gritava: "Meus diamantes! Dez milhões de diamantes! É horrível! Que catástrofe!", e pulava de um pé para o outro como se as tábuas o queimassem. Todo mundo lhe deu as costas.

Ela havia se levantado e pulava alegremente, como Van Houben. Com o vestido bem simples que usava – um vestido de sarja preta, quase apertado para o seu tamanho –, exibia a mesma elegância bem torneada como a do rico traje que vestira no Opéra. Seu corpo longo e delgado, bem proporcionado, parecia ser a coisa mais perfeita do mundo. O rosto era fino e delicado, a pele cor de mate, o cabelo ondulado e de um belo tom dourado.

– Dance, Arlette, já que começou, dance!

Ela não sabia dançar. Mas fazia poses e dava uns passos que eram como a encenação mais fantástica de suas apresentações de modelo. Espetáculo divertido e gracioso do qual suas companheiras nunca se cansavam. Todas elas a admiravam, e para todas Arlette era uma criatura especial, promessa de um destino de luxo e festas.

– Bravo, Arlette! – exclamavam –, você é encantadora.

– Você é a melhor das companheiras, já que, graças a você, três de nós vão embora para a Côte d'Azur.

Ela se sentou diante das amigas e, corada pela animação, com os olhos brilhantes, disse a elas, em um tom meio confidencial em que havia um pouco de exaltação sorridente, de tristeza também e ironia:

– Não sou melhor do que vocês, não mais jeitosa que você, Irène, menos séria que Charlotte, e menos honesta que Julie. Tenho namorados como vocês... que me exigem mais do que posso lhes dar... mas a quem, de qualquer modo, dou mais do que gostaria. E sei que um dia ou outro isso vai acabar mal. O que vocês querem? Eles nunca se casam com a gente. Sempre nos veem com os mais belos vestidos, e ficam com receio.

– Do que você tem medo? – perguntou uma das garotas. – As cartas lhe predizem fortuna.

– De que jeito? Um senhor rico? Jamais. E, no entanto, quero chegar lá.

– A quê?

– Não sei... tudo isso mexe muito com a minha cabeça. Desejo amor, desejo dinheiro.

– Ao mesmo tempo? Vejam só! E como?

– O amor, para ser feliz.

– E o dinheiro?

– Não sei direito. Tenho sonhos, ambições, das quais falei muitas vezes. Gostaria de ser rica... não por mim... mais pelos outros... por vocês, minhas meninas... Eu gostaria...

– Continue, Arlette.

Ela falou mais baixo, sorrindo:

– É absurdo... ideias de criança. Eu gostaria de ter muito dinheiro, que não seria para mim, mas do qual eu pudesse dispor. Por exemplo, ser diretora, dona de uma grande casa de moda que tivesse uma nova organização, muito conforto... e depois, sobretudo, dotes para as empregadas... sim, para que cada uma de vocês pudesse se casar com quem quisesse.

Ela ria calmamente de seu sonho absurdo. As outras estavam sérias. Uma delas enxugou os olhos.

Ela continuou:

– Sim, dotes, dotes de verdade, em dinheiro vivo... Não sou muito instruída... Não tenho nem diploma... Mas, de qualquer modo, escrevi uma nota sobre minhas ideias com cifras e erros de ortografia. Aos 20 anos vocês teriam seu dote... e depois um enxoval para o primeiro filho... e depois...

– Arlette, telefone!

A diretora dos ateliês tinha aberto a porta e chamava a garota.

Esta se ergueu, repentinamente pálida e ansiosa.

– Mamãe está doente – sussurrou ela.

Sabia-se na Maison Chernitz que só se transmitiam às empregadas as chamadas sérias, relacionadas a uma perda ou doença na família. E sabia-se também que Arlette adorava sua mãe, que era filha natural e tinha duas irmãs, antigas modelos, que haviam fugido com homens para o estrangeiro.

No silêncio que se fez, Arlette mal podia caminhar.

– Depressa – insistiu a diretora.

O telefone ficava na sala vizinha. Encostadas na porta entreaberta, as moças escutaram a voz fraca de sua companheira, que balbuciava:

– Mamãe está doente, não é? É o coração? Mas quem está falando? É a senhora Louvain...? Não estou reconhecendo sua voz... E então, um médico? Qual, diga aí... O doutor Bricou, Rua do Mont-Thabor, n° 3 bis...? Ele já foi avisado? E devo ir até ele? Bem, eu vou.

Sem uma palavra, toda trêmula, Arlette pegou seu chapéu em um armário e saiu. Suas companheiras se precipitaram para a janela e a viram, sob a claridade das lâmpadas, correr e olhar os números. No fim da quadra, à esquerda, diante do n° 3 bis sem dúvida, ela parou. Havia um carro, e na calçada um senhor esperava de pé, de quem só se via a silhueta e os sapatos bicolores de bico claro. Ele tirou o chapéu e lhe dirigiu a palavra. Ela entrou no carro. O senhor também. O carro arrancou para o outro lado da rua.

– É esquisito – disse uma modelo –, passo todos os dias ali na frente. Nunca via nenhuma placa de doutor em alguma casa. O doutor Bricou, do n° 3 bis, você conhece?

– Não. A placa de cobre talvez esteja sob o pórtico da entrada.

– Em todo caso – propôs a diretora –, poderíamos consultar a lista telefônica... e o guia Tout-Paris...

Todas se apressaram rumo à sala vizinha, e, mãos febris, sobre uma mesa, folhearam rapidamente os dois volumes da lista telefônica.

– Se existe um doutor Bricou no n° 3 bis, ou mesmo um médico qualquer que seja, não tem telefone – declarou uma das moças.

E uma outra, fazendo eco:

– Não existe doutor Bricou no Tout-Paris, nem na Rua do Mont-Thabor nem em lugar nenhum.

Havia agitação, inquietude. Cada uma dava sua opinião. A história parecia equivocada. A diretora achou que devia advertir Chernitz, que veio imediatamente. Era um homem bastante jovem, pálido, desajeitado, vestido como um carregador, que se mostrava impassível e pretendia descobrir, sempre e imediatamente, a ação precisa e necessária para conseguir responder a qualquer eventualidade.

– Não é necessário refletir – dizia ele. – Vamos direto ao ponto, nem uma palavra a mais.

Friamente, ligou o telefone e pediu um número. Na linha, disse:

– Alô... falo com a casa da senhora Régine Aubry...? Pode avisar a senhora Régine Aubry que Chernitz, o estilista Chernitz, deseja lhe falar?

Esperou, depois continuou:

– Sim, Chernitz, o estilista. Embora eu não tenha a honra de contar com a senhora entre meus clientes, penso que neste caso devia me dirigir à senhora. É o seguinte: uma das moças que trabalha comigo como modelo... Alô? Sim, trata-se de Arlette Mazolle... A senhora é muito amável, mas, de minha parte, devo lhe dizer que votei na senhora... Seu vestido naquela noite... Mas permita-me ir direto ao ponto? Tudo leva a crer, que a senhora Arlette Mazolle acaba de ser raptada, e sem dúvida pelo mesmo indivíduo que a raptou. Então pensei que a senhora poderia estar interessada em conhecer o caso... Alô... Está esperando o delegado Béchoux? Perfeito... É isso, senhora, só quis lhe prestar esse esclarecimento útil.

O estilista Chernitz recolocou o bocal no gancho e concluiu, antes de ir embora:

– Só se podia fazer isto, e mais nada.

O desenrolar dos acontecimentos seguiu a mesma ordem que com Régine Aubry. Havia uma mulher no banco de trás do carro. Aquele que se dizia doutor apresentou-a:

– Senhora Bricou.

Ela usava um véu espesso. Além do mais, era noite, e Arlette só pensava em sua mãe. Logo interrogou o médico, sem mesmo olhar para ele. Ele respondeu, com voz enrolada, que uma de suas clientes, a senhora Louvain, telefonara-lhe dizendo que viesse rápido para cuidar de uma vizinha e que, de passagem, apanhasse a filha da doente. Ele não sabia mais do que isso.

O carro seguiu pela Rua de Rivoli, em direção à Concorde. Quando atravessava a praça, a mulher cobriu a cabeça de Arlette com um tecido grosso e espetou-lhe a ponta de um punhal no ombro.

Arlette se debateu, mas seu medo se misturava com alegria, porque achava que a doença de sua mãe era apenas um pretexto para atraí-la e que seu rapto devia ter outro motivo. Acabou, portanto, por ficar tranquila. Escutou e observou.

As mesmas constatações que Régine tinha feito, ela fazia por sua vez. Mesma corrida rápida até os limites de Paris. Mesmas conversões bruscas. Se não conseguiu ver a mão de sua guardiã, entreviu ao menos um dos seus sapatos, que era bem pontudo.

Conseguiu ouvir algumas palavras de uma conversa que os dois cúmplices travavam, em voz tão baixa que com certeza, evidentemente, ela não podia ouvir. Uma frase inteira, no entanto, chegou aos seus ouvidos.

– Você está errado – disse a mulher –, está errado... Já que estava decidido a isto, devia ter esperado algumas semanas... Depois do caso do Opéra, é cedo demais.

Frase que pareceu esclarecer a jovem: a mesma dupla a estava raptando, aquela que Régine Aubry tinha denunciado à Justiça. O falso barão Bricou era o incendiário do Opéra. Mas por que atacá-la, ela, que não possuía nada e não oferecia à cobiça alheia nem corpete de diamantes nem joias de espécie alguma? Essa descoberta acabou por sená-la. Não tinha nada a temer, e seria colocada em liberdade assim que o erro fosse constatado.

Um ruído de porta pesada fez-se ouvir. Arlette, que se lembrava da aventura de Régine, adivinhou que entrava em um pátio pavimentado. Fizeram-na subir uma escadinha. Seis degraus, que ela contou. Depois, as lajotas de um vestíbulo.

Nesse momento, ela tinha recuperado a calma e se sentia tão forte que agiu de uma maneira que lhe pareceu absolutamente imprudente, sem poder resistir ao apelo de seu instinto. Enquanto o homem passava pela porta do vestíbulo, sua cúmplice escorregou em um ladrilho e, por um segundo, largou o ombro de Arlette. Esta, sem refletir, se livrou do tecido que a encapuzava e se lançou adiante, subiu rapidamente a escada e, atravessando uma antessala, chegou a um salão cuja porta, por precaução, teve a presença de espírito de trancar.

A lâmpada de um abajur espalhava um círculo luminoso que dava um pouco de claridade ao restante da sala. Que fazer? Por onde fugir? Tentou abrir uma das duas janelas do fundo, e não conseguiu. Agora tinha medo, compreendendo que a dupla já devia estar quase ali, se tivesse começado sua inspeção pela sala, e que chegaria de um momento para outro e se jogaria sobre ela.

De fato, ela ouviu os ruídos das portas. Precisava se esconder imediatamente. Subiu no espaldar de uma poltrona apoiada contra a parede e subiu facilmente até o mármore de uma ampla lareira, cujo espelho ladeou até a outra ponta. Uma alta biblioteca se erguia ali. Ela se atreveu a colocar os pés em um vaso de bronze e conseguiu agarrar a moldura superior da estante, depois de se erguer não saberia dizer como. Quando os dois cúmplices se precipitaram no salão, Arlette tinha se deitado em cima do móvel, meio dissimulada pela moldura da biblioteca de madeira.

Eles só teriam de erguer os olhos para perceber sua silhueta, mas não fizeram isso. Exploraram a parte inferior do salão, sob os sofás e as poltronas, e atrás das cortinas. Arlette discernia as sombras deles pelo reflexo em um grande vidro do lado oposto. Mas o rosto de ambos se mantinha indistinto e suas palavras, mal perceptíveis, porque se exprimiam em voz muito baixa, voz sem timbre.

– Ela não está aqui – disse o homem, por fim.

– Talvez tenha pulado para o jardim...? – observou a mulher.

– Não é possível. As duas janelas estão fechadas.

– E a alcova?

Havia à esquerda, entre a lareira e a outra janela, um desses pequenos recônditos usados como alcova que, antigamente, davam para o salão, do qual eram separados por uma divisória móvel. O homem puxou a divisória.

– Ninguém.
– E então?
– Então, não sei, e é grave.
– Por quê?
– E se ela escapou?
– Como escaparia?
– Sim, com efeito. Ah, a espertinha, se eu a pego, tanto pior para ela!

E saíram, depois de apagar a luz.

O relógio da lareira deu sete horas, em um som acidulado e fora de moda que tilintava claro como o de metal.

Arlette ouviu também as oito horas, nove e dez horas. Ela não se mexia. Não se atrevia. A ameaça do homem a deixara encolhida e trêmula.

Foi só depois da meia-noite que, mais calma, sentindo a necessidade de agir, ela desceu de seu lugar. O vaso de bronze oscilou e caiu no assoalho com tal estrondo que a jovem ficou petrificada e insegura de angústia. Mas ninguém apareceu. Ela colocou o vaso no lugar.

Uma luz forte vinha de fora. Ela se aproximou da janela e viu um jardim, banhado pelo luar, em que se estendia um gramado ladeado de arbustos. Dessa vez ela conseguiu abrir a janela.

Inclinando-se ali, constatou que o nível do chão devia ser mais elevado desse lado, não tendo a altura de um andar. Sem hesitar, passou as pernas pela sacada e se deixou cair sobre o cascalho, sem se machucar.

Esperou que uma nuvem escondesse a lua, atravessou rapidamente um espaço vazio e alcançou a linha de sombra dos arbustos. Curvando-se um pouco para seguir os arbustos, chegou junto a um muro que se erguia sob o luar, mas muito alto para ela conseguir pular. À direita havia um pavilhão que parecia deserto. As persianas estavam fechadas. Ela se aproximou lentamente. Antes do pavilhão havia uma porta no muro, aferrolhada e com uma grande chave na fechadura. Puxou os ferrolhos e girou a chave.

Mal teve tempo de abrir e pular para a rua: dando uma olhadela para trás, viu uma sombra correndo em sua perseguição.

A rua estava deserta. Cerca de cinquenta passos adiante, ao olhar outra vez, viu que a sombra ganhava velocidade. O medo a despertou e, apesar do coração disparado e das pernas que quase se dobravam, teve a impressão animadora de que ninguém poderia alcançá-la.

Impressão fugidia: suas forças a abandonaram de repente, seus joelhos se dobraram e ela ficou a ponto de cair. Mas então passava gente em outra rua mais animada, que ela alcançou. Logo pegou um táxi. Quando lhe deu o endereço e fechou a porta, viu, pela janela de trás, que o inimigo também se enfiava em outro carro e também arrancava.

Ruas... outras ruas ainda... Será que a seguiam? Arlette não sabia e não procurava saber. Em uma pequena praça na qual desembocaram de repente, havia vários carros estacionados. Ela bateu no vidro.

– Pare, motorista! Tome vinte francos, e continue rapidamente para despistar alguém que está me seguindo.

Ela desceu e logo entrou em outro táxi, dando o endereço ao novo motorista.

– Para Montmartre, Rua Verdrel, 55.

Estava fora de perigo, mas tão cansada que perdeu os sentidos.

Despertou no sofá de seu pequeno quarto, perto de um senhor ajoelhado, que ela não conhecia. Sua mãe, atenta e inquieta, a olhava ansiosamente. Arlette tentou sorrir para ela, e o senhor disse à mãe:

– Não lhe pergunte nada ainda, senhora. Não, senhorita, não fale. Escute, primeiro. Foi o seu patrão, Chernitz, quem preveniu Régine Aubry de que a senhorita tinha sido raptada nas mesmas condições que ela. A polícia logo foi alertada. Mais tarde, sabendo do caso por meio de Régine Aubry, que me conta entre seus amigos, vim até aqui. Sua mãe e eu esperamos toda a noite diante da casa. Eu esperava que seus raptores a soltassem, como fizeram com Régine Aubry. Perguntei ao motorista que a trouxe de onde ele vinha: "Da Praça des Victoires". Nenhuma outra informação. Não, não se incomode. Amanhã a senhorita nos conta tudo o que lhe aconteceu.

A jovem gemia, agitada pela febre e pelas lembranças que a atormentavam como pesadelos. Fechou os olhos, murmurando:

– Estão subindo a escada.

De fato, alguém tocou a campainha. A mãe passou para a antessala. Ouviam-se duas vozes de homem, e uma dizia:

– Van Houben, senhora. Sou Van Houben, o Van Houben da túnica de diamantes. Quando soube do rapto de sua filha, eu e o delegado Béchoux, que acabava de chegar de viagem, logo nos pusemos à caça dos raptores. Percorremos as delegacias, e estamos aqui. O porteiro nos disse que Arlette Mazolle tinha voltado e, logo depois, Béchoux e eu viemos interrogá-la.

– Mas, senhor...

– É muito importante, senhora. Este caso está conectado àquele dos diamantes que me roubaram. São os mesmos bandidos... e não posso perder um minuto...

Sem pedir autorização, ele entrou no pequeno quarto, seguido do delegado Béchoux. O espetáculo que se ofereceu a ele pareceu espantá-lo enormemente. Seu amigo Jean d'Enneris estava ajoelhado diante de um sofá, junto à jovem ali estendida, de quem ele beijava delicadamente a fronte, as pálpebras e as faces, com um ar aplicado, quase compungido.

Van Houben balbuciou:

– Você, d'Enneris! Você! O que você está fazendo aqui?

D'Enneris estendeu o braço e ordenou silêncio.

– Psiu! Não façam tanto barulho... estou acalmando a garota... Nada é mais calmante. Vejam como ela se abandona...

– Mas...

– Amanhã... de manhã... vamos nos reunir na casa de Régine Aubry. Daqui até lá, repouso para a doente... Não podemos abusar de seus nervos... Até amanhã de manhã...

Van Houben continuava confuso. A mãe de Arlette Mazolle não compreendia nada da aventura. Mas, perto deles, alguém os superava em estupor e perplexidade: o delegado Béchoux.

Homenzinho pálido e magro, que assumia ares de elegância e possuía braços enormes, o delegado arregalava os olhos e contemplava Jean d'Enneris como se estivesse diante de uma aparição abominável. Tinha o ar de conhecer d'Enneris e também de não o conhecer, e parecia tentar descobrir se ele não tinha, sob a máscara jovem e sorridente, outro rosto que para ele, Béchoux, era o do próprio diabo.

Van Houben apresentou:

– O delegado Béchoux... senhor Jean d'Enneris... Mas parece que já conhece d'Enneris, Béchoux?

O delegado quis falar. Quis fazer perguntas. Mas não conseguiu, e ficou contemplando pelo canto dos olhos o fleumático personagem que prosseguia em seu estranho sistema de cura...

D'ENNERIS, CAVALHEIRO-DETETIVE

A reunião marcada teve lugar às duas horas no toucador de Régine Aubry. Ao chegar, Van Houben encontrou d'Enneris instalado ali como se estivesse em sua casa, brincando com a bela atriz e com Arlette Mazolle. Os três pareciam bem alegres. Não se diria, ao vê-la despreocupada e feliz, ainda que um pouco cansada, que na noite anterior Arlette Mazolle tinha passado por algumas horas de ansiedade. Ela não parava de olhar para d'Enneris e, como Régine, aprovava tudo o que ele dizia, e ria de maneira divertida do que ele dizia.

Van Houben, vivamente abalado pela perda de seus diamantes, e que enxergava a vida pelo lado trágico, exclamou com voz furiosa:

– Que diabos! A situação, no entanto, parece bastante divertida para vocês três, hein?

– Na verdade – disse d'Enneris –, ela não tem nada de espantoso. No fundo, tudo correu bem.

– Claro! Não são seus os diamantes que foram roubados. Quanto à senhorita Arlette, todos os jornais da manhã falam de sua aventura. Que propaganda! Só eu é que perdi com esse caso sinistro.

– Arlette – protestou Régine –, não se abale com Van Houben diz, ele não tem nenhuma educação e suas palavras não têm o mínimo valor.

– Quer que eu lhe dê uma boa notícia, minha cara Régine? – murmurou Van Houben.

– Diga.

– Bem, esta noite surpreendi seu adorado d'Enneris ajoelhado diante da senhorita Arlette, experimentando nela o pequeno método de cura que lhe fez tão bem há uns dez dias.

– Foi o que os dois acabaram de me contar.

– Hein? O quê!? E não está com ciúme?

– Ciúme?

– Ora! D'Enneris não lhe faz a corte?

– E com insistência, admito.

– Então você admite...?

– D'Enneris tem um excelente método, e o emprega, é seu dever.

– E seu prazer.

– Tanto melhor para ele.

Van Houben se lamentou.

– Ah! Esse d'Enneris tem sorte! Faz de você o que bem entende... e com todas as mulheres, aliás.

– E com todos os homens também, Van Houben. Porque, ainda que o deteste, ele é sua única esperança de encontrar os diamantes.

– Sim, mas estou absolutamente resolvido a dispensar o seu auxílio, pois o delegado Béchoux está à minha disposição e...

Van Houben não terminou sua frase. Virando-se, avistou o delegado Béchoux na soleira da porta.

– Já chegou então, delegado?

— Há algum tempo – afirmou Béchoux, que se inclinou diante de Régine Aubry. A porta estava entreaberta.

— Então ouviu o que eu disse?

— Sim.

— E o que pensa da minha decisão?

O delegado Béchoux conservava uma expressão carrancuda e um pouco agressiva na aparência. Divisou Jean d'Enneris como havia feito na véspera e falou devagar, nitidamente:

— Senhor Van Houben, ainda que em minha ausência o caso de seus diamantes tenha sido confiado a um de meus colegas, é fora de dúvida que eu participarei das investigações, e desde já recebi a ordem de investigar o domicílio da senhorita Arlette Mazolle. Mas devo preveni-lo da maneira mais clara que não aceitarei de modo nenhum a colaboração, aberta ou clandestina, de algum de seus amigos.

— Está claro – disse Jean d'Enneris, rindo.

— Muito claro.

D'Enneris, muito calmo, não dissimulou seu espanto.

— Que diabos, senhor Béchoux, dir-se-ia que na verdade não lhe sou simpático.

— Admito – disse o outro com rudeza.

Ele se aproximou de d'Enneris e, frente a frente:

— Tem mesmo certeza, senhor, de que nunca nos encontramos?

— Sim, uma vez, há vinte e três anos, nos Champs-Élysées. Brincamos de pique juntos, e eu o derrubei no chão com uma rasteira que nunca me perdoou, estou percebendo. Meu caro Van Houben, o senhor Béchoux tem razão. Não há possibilidade de colaboração entre nós. Dou-lhe toda a liberdade e volto ao trabalho. Podem se retirar.

— Nós, nos retirarmos? – disse Van Houben.

— Claro! Estamos aqui na casa de Régine Aubry. E fui eu que os convoquei. Já que não entramos em acordo, adeus! Podem ir embora!

Ele se jogou sobre o sofá, entre as duas jovens, e segurou as mãos de Arlette Mazolle.

– Minha bela Arlette, agora, que já retomou seu equilíbrio, não vamos perder tempo: conte-me detalhadamente o que lhe aconteceu. Nenhum detalhe é inútil.

E, como Arlette hesitasse, ele lhe disse:

– Não se preocupe mais com esses senhores. Eles não estão aqui. Saíram. Portanto, pode me contar, minha pequena Arlette. Estou lhe falando com familiaridade porque já passei meus lábios por suas faces, que são mais macias que o veludo, e que me dão os direitos de um namorado.

Arlette enrubesceu. Régine riu e a pressionou a falar. Van Houben e Béchoux, que desejavam ouvir também e tirar proveito da conversa, pareciam colados ao chão, imóveis como bonecos de cera. E Arlette contou toda a sua história, assim como tinha pedido aquele homem, a quem nem ela nem as outras pareciam capazes de resistir.

Ele ouviu sem dizer uma palavra. Por vezes, Régine aprovava.

– Foi isso mesmo... uma escada de seis degraus... Sim, um vestíbulo de lajotas pretas e brancas... e no primeiro andar, na frente, o salão com móveis forrados de seda azul.

Quando Arlette terminou, d'Enneris percorreu a sala com as mãos nas costas, colou seu rosto na vidraça e refletiu assim por um bom tempo. Depois, concluiu, entre dentes:

– Difícil... difícil... Mas já é alguma coisa... os primeiros raios de luz indicam algo no fim do túnel.

Retomou seu lugar no sofá e disse às jovens:

– Vejam, quando se tem duas aventuras com um paralelismo tão marcante, com procedimentos análogos e os mesmos protagonistas... porque a identidade da dupla inimiga é inegável... é preciso descobrir o ponto em que as ditas aventuras se distinguem uma da outra e, quando o descobrirmos não devemos separá-las antes de termos deduzido todas as certezas. Ora, feitas todas as reflexões, o ponto sensível me parece residir na diferença de motivos que levaram ao seu rapto, Régine, e ao seu, Arlette.

Ele se interrompeu por um instante e começou a rir.

– Pode não parecer grande coisa o que acabo de formular, ou no máximo uma verdade um tanto óbvia, mas posso lhes afirmar que é bem consistente. Subitamente a situação se simplifica. Você, minha bela Régine, sem dúvida alguma, foi raptada por causa dos diamantes que o bravo Van Houben ainda lamenta desconsoladamente. Quanto a isso, nenhuma objeção, e estou certo de que o próprio senhor Béchoux, se estivesse aqui, concordaria comigo.

Béchoux não disse uma palavra sequer, esperando o restante do discurso, e Jean d'Enneris se virou para sua outra companheira.

– Quanto a você, minha bela Arlette de pele de veludo, por que motivo eles se arriscariam a capturá-la? Todas as suas riquezas devem caber na palma de sua mão, não é?

Arlette, a garota de pele de veludo, como ele dizia, mostrou a palma das mãos.

– Vazias – exclamou ele. – Portanto, a hipótese de roubo está descartada, e devemos considerar como os únicos motivos do rapto o amor, a vingança, ou alguma combinação própria à execução de um plano que você pode facilitar, ou bem dificultar. Perdoe minha indiscrição, Arlette, e responda sem pudor. Você já amou?

– Acho que não – disse ela.

– Já foi amada?

– Não sei.

– No entanto já lhe fizeram a corte, não? Pierre e Philippe.

Ingenuamente, ela protestou:

– Não, eles se chamam Octave e Jacques.

– São rapazes honestos, esse Octave e esse Jacques?

– Sim.

– Portanto, incapazes de terem tomado parte em todas essas aventuras?

– Incapazes.

– E então?

– Então o quê?

Ele se inclinou sobre ela, e, suavemente, com toda a sua influência convincente, murmurou:

– Procure bem, Arlette. Não se trata de evocar os fatos exteriores e visíveis de sua vida, aqueles que a marcaram e que você pode gostar ou não de recordar, mas aqueles que dificilmente afloram à sua consciência e que você, por assim dizer, esqueceu. Não se lembra de nada um pouco especial, um pouco anormal?

Ela sorriu.

– Palavra, não... nada...

– Claro que sim. Não é admissível que tenham raptado você sem motivo algum. Deve ter havido certamente uma preparação de certas ações anteriores que despertaram sua atenção... Tente se lembrar.

Arlette procurou se lembrar com todas as suas forças. Empenhou-se em extrair da memória as mais leves impressões adormecidas que ele lhe pedia, e Jean d'Enneris esclareceu:

– Você percebeu a presença de alguém rondando à sua volta na escuridão? Será que não experimentou algum calafrio de inquietude, como o contato de uma coisa misteriosa? Não estou falando de um perigo real, mas de certas ameaças vagas em que se pensa: "Ih... o que é que há? O que está acontecendo? O que será que vai acontecer?".

A fisionomia de Arlette se contraiu ligeiramente. Seus olhos pareceram se fixar em um determinado ponto. Jean exclamou:

– É isso aí! Estamos quase lá. Ah, pena que Béchoux e Van Houben não estejam aqui... Explique-se, minha bela Arlette.

Ela disse, pensativamente:

– Um dia, um senhor...

Jean d'Enneris puxou-a do sofá, entusiasmado por esse preâmbulo, e começou a dançar com ela.

– É isso aí! E começa como um conto de fadas! Um dia... Deus! Como você é encantadora, Arlette da pele macia! E o que aconteceu com esse senhor?

Ela tornou a se sentar e continuou, com voz lenta:

– Esse senhor apareceu acho que há uns três meses, com a irmã, em uma tarde na qual havia muita gente para ver a apresentação de vestidos em um evento beneficente. Por mim, nem tinha reparado nele. Mas uma colega me disse: "Sabe, Arlette, que você já fez uma conquista, um tipo vistoso, muito chique, que devorou você com os olhos, um sujeito que se ocupa de obras sociais? Pelo menos é o que disse a diretora. Ele está caído por você, Arlette, e já que está atrás de dinheiro...".

– Atrás de dinheiro, você? – interrompeu d'Enneris.

– São minhas colegas – disse ela – que brincam comigo porque eu queria fundar uma caixa de seguros para o ateliê, uma caixa de dotes, enfim, um monte de sonhos. Então, uma hora depois, quando percebi que um senhor alto me esperava na saída e me seguia, pensei que talvez pudesse dar a volta nele. Só que, na minha estação de metrô, ele parou. No dia seguinte, a mesma coisa, e nos dias seguintes também. Fiquei na mão, porque após uma semana ele não voltou mais. Então, alguns dias depois, uma noite...

– Uma noite?

Arlette baixou a voz:

– Pois bem, às vezes, quando estou em casa, depois de jantar e arrumar tudo, deixo mamãe e vou ver uma amiga que mora no alto de Montmartre. Antes de chegar lá, passo por uma ruela muito escura, onde nunca há ninguém quando retorno por volta das onze horas. Foi lá que, por três vezes seguidas, consegui distinguir o vulto de um homem no pórtico de uma casa. Nas duas primeiras vezes o homem não se mexeu. Mas na terceira vez ele saiu de seu refúgio e quis me barrar a passagem. Soltei um grito e comecei a correr. A pessoa não insistiu. E depois disso, evito essa rua. Isso é tudo.

Ela se calou. Sua história não pareceu interessar a Béchoux nem a Van Houben. Mas d'Enneris perguntou:

– Por que você não me contou antes essas duas pequenas aventuras? Acha que têm relação uma com a outra?

– Sim.

– Qual?
– Sempre acreditei que o homem que me esperava naquela ruela não era outro senão o homem que tinha me seguido.
– Mas em que se baseia essa sua convicção?
– Tive tempo de observar, na terceira noite, que o homem de Montmartre usava sapatos bicolores de bico claro.
– Como o senhor que costumava segui-la? – exclamou rapidamente Jean d'Enneris.
– Sim.
Van Houben e Béchoux ficaram confusos. Régine, interessada, perguntou:
– Mas então você não se lembra, Arlette, que meu agressor do teatro também usava esse tipo de sapato?
– Na verdade... na verdade... – disse Arlette. – Não tinha me dado conta.
– E o seu também, Arlette... aquele de ontem... o falso doutor Bricou...
– Sim, é verdade – repetiu a jovem –, mas eu não tinha feito essa relação... só agora é que estou me lembrando direito.
– Arlette, um último esforço, minha menina. Você não nos deu o nome desse senhor. Você o conhece?
– Sim.
– E como ele se chama?
– Conde de Mélamare.
Régine e Van Houben estremeceram. Jean reprimiu um movimento de surpresa. Béchoux deu de ombros, e Van Houben exclamou:
– Mas isso é uma maluquice! O conde Adrien de Mélamare... Mas eu o conheço de vista! Tive ocasião de me sentar junto dele em um encontro benemerente. É um perfeito cavalheiro, a quem eu teria orgulho de apertar a mão. O conde de Mélamare roubar meus diamantes!
– Mas de modo algum eu o estou acusando – disse Arlette espantada.
– Só estou dizendo um nome.
– Arlette tem razão – disse Régine. – A gente pergunta, ela responde. Mas é evidente que o conde de Mélamare, de acordo com o que todo mundo

sabe dele e da irmã, com quem vive, não pode ser o homem que a espionou na rua, nem o homem que nos raptou, a você e a mim.

– Ele usava sapatos bicolores de bico claro? – perguntou Jean d'Enneris.

– Não sei... ou melhor, sim... algumas vezes...

– Quase sempre – disse claramente Van Houben.

A afirmação foi seguida de um silêncio. Depois, Van Houben continuou:

– Está havendo algum mal-entendido. Repito que o conde de Mélamare é um perfeito cavalheiro.

– Vamos vê-lo – disse simplesmente d'Enneris. – Van Houben, você não tem um amigo que é da polícia, um tal de Béchoux? Ele nos fará entrar lá.

Béchoux se indignou.

– Então, acha que a gente entra na casa das pessoas assim, e que, sem um inquérito aberto, sem um mandado, pode-se ir interrogá-las a propósito de umas histórias estúpidas? Sim, estúpidas. Tudo o que ouvi na última meia hora é uma completa estupidez.

D'Enneris murmurou:

– E dizer que brinquei de pique com esse idiota! Que remorso!

E se virou para Régine.

– Cara amiga, tenha a bondade de abrir a lista telefônica e procurar o número do conde Adrien de Mélamare. Não vamos precisar do senhor Béchoux.

Ele se levantou. Após alguns instantes, Régine lhe passou o telefone, e ele disse:

– Alô! É da casa do conde de Mélamare? Aqui é o visconde d'Enneris ao telefone... é o senhor conde de Mélamare? Senhor, desculpe-me se o aborreço, mas eu li, há duas ou três semanas, nos jornais, o seu anúncio sobre alguns objetos que lhe foram roubados, um suporte para pinças de lareira, uma arandela, um espelho de fechadura e a metade de uma fita de seda azul de campainha... todos objetos sem grande valor, mas que o senhor mantinha por razões particulares... Não estou enganado, não é, senhor? Nesse caso, se quiser me receber, eu poderei lhe dar algumas informações úteis acerca desse assunto... Às duas horas, hoje? Muito bem. Ah, uma palavra ainda, permite que leve comigo duas moças cujo papel, aliás, lhe será explicado? O senhor é muito amável, e lhe agradeço muito.

D'Enneris desligou.

– Se o senhor Béchoux estivesse aí, veria que a gente pode entrar na casa das pessoas como quer. Régine, viu na lista telefônica onde mora o conde?

– Rua d'Urfé, nº 13.

– Portanto, no bairro de Saint-Germain.

Regine perguntou:

– Mas esses objetos, onde estão?

– Em minhas mãos. Eu os comprei no mesmo dia do anúncio, pela módica quantia de treze francos e cinquenta.

– E por que não os enviou ao conde?

– Esse nome, Mélamare, faz-me lembrar de alguma coisa vaga. Parece-me que houve, durante o século XIX, um caso Mélamare. E depois não tive mais tempo de me informar. Mas agora vamos verificar isso. Régine, Arlette, temos um encontro às dez para as duas na Praça do Palais-Bourbon. A sessão está suspensa.

Reunião verdadeiramente eficaz. Meia hora foi o suficiente para d'Enneris examinar o terreno e descobrir uma porta onde enfim bater. Na obscuridade, uma silhueta se desenhava, e o problema se apresentava de maneira mais clara: qual era o papel do conde de Mélamare naquele caso?

Régine reteve Arlette para almoçar. D'Enneris saiu um ou dois minutos depois de Van Houben e Béchoux. Mas os encontrou no corredor do segundo andar, onde Béchoux, subitamente exasperado, havia agarrado Van Houben pela lapela do casaco.

– Não, não vou mais deixá-lo seguir um caminho que certamente o levará ao desastre. Não! Não quero que seja vítima de um impostor. Sabe quem é esse homem?

D'Enneris se aproximou.

– Trata-se de mim, evidentemente, e o senhor Béchoux está com vontade de descarregar seus ressentimentos.

E apresentou seu cartão:

— Visconde Jean d'Enneris, navegador — disse ele a Van Houben.

— Mentiras! — exclamou Béchoux. — Nem visconde nem d'Enneris, e tampouco navegador.

— Pois bem, o senhor é muito polido, senhor Béchoux. Quem sou eu então?

— Você é Jim Barnett! Jim Barnett em pessoa! Não adianta se camuflar, não adianta mais usar sua peruca e aquele velho casaco, que eu o encontro agora mascarado de homem da sociedade e esportista. É você! Você é Jim Barnett, da Agência Barnett e Associados Barnett, com quem já colaborei uma dúzia de vezes, e que uma dúzia de vezes me enrolou. Estou farto, e é meu dever prevenir todos. Senhor Van Houben, não se deixe levar por esse indivíduo!

Van Houben, muito embaraçado, olhou para Jean d'Enneris, que calmamente acendia um cigarro, e lhe disse:

— A acusação do senhor Béchoux é verídica?

D'Enneris sorriu.

— Talvez... não sei ao certo. Todos os meus documentos enquanto visconde d'Enneris estão em ordem, mas talvez eu também tenha documentos em nome de Jim Barnett, que foi meu melhor amigo.

— Mas essa viagem ao redor do mundo, em um barco a motor, você a realizou?

— Talvez. Tudo isso está muito vago em minha memória. Mas que raio de diferença isso faz? O essencial é encontrar os seus diamantes. Ora, se eu sou o extraordinário Barnett, como pretende o seu policial, é a melhor garantia de êxito, meu caro Van Houben.

— A melhor garantia de que o senhor será roubado, senhor Van Houben — rosnou Béchoux. — Sim, ele será bem-sucedido. Sim, na dúzia de vezes em que trabalhamos juntos ele conseguiu deslindar o caso, colocar a mão nos culpados e recuperar o butim. Mas, em todas as vezes também, ele embolsou esse butim, total ou parcialmente. Sim, ele vai descobrir seus diamantes, mas vai surrupiá-los debaixo de seu nariz, e deles o senhor não verá nem um resquício. Ele já colocou suas garras sobre o senhor, que já não consegue escapar. Acredita sinceramente que ele vai trabalhar para o senhor, meu caro Van Houben? É para si mesmo que ele trabalha! Jim Barnett ou d'Enneris, cavalheiro-detetive, navegador ou bandido, ele não se guia senão por seu próprio interesse. Se o deixar participar da investigação, senhor, seus diamantes estarão perdidos.

– Ah, isso não! – protestou Van Houben, indignado. – Já que é assim, fique longe. Se vou recuperar meus diamantes para que outro os tome de mim, boa noite! Pode se ocupar de seus afazeres, d'Enneris. Que eu me ocupo dos meus.

D'Enneris começou a rir:

– É que os seus afazeres, no momento, me interessam muito mais do que os meus.

– Eu o proíbo...

– Proíbe de quê? Não importa quem vai se ocupar dos diamantes. Eles estão perdidos: tenho o direito de procurá-los, como qualquer outro. E, depois, o que você quer? Todo este caso me apaixona. As mulheres envolvidas nele são tão bonitas! Régine, Arlette! Criaturas deliciosas... Na verdade, caro amigo, não abandonarei o caso enquanto não puser a mão nos seus diamantes!

– E eu – resmungou Béchoux, quase fora de si – não deixarei o caso antes de jogar você na cadeia, Jim Barnett.

– Vamos nos divertir, então. Adeus, camaradas. E boa sorte. Quem sabe! Talvez nos reencontremos qualquer dia desses.

E d'Enneris, cigarro na boca, foi embora, feliz da vida.

Arlette e Régine estavam pálidas quando desceram do carro na pequena e tranquila Praça do Palais-Bourbon, onde d'Enneris as esperava.

– Diga-me uma coisa, d'Enneris – perguntou Régine. – Acha mesmo que foi esse homem que nos raptou, o conde de Mélamare?

– Por que essa ideia, Régine?

– Não sei... um pressentimento. Tenho um pouco de medo. E Arlette é como eu. Não é, Arlette?

– Sim, estou com o coração apertado.

– E daí? – perguntou Jean. – Mesmo que seja o tal homem, vocês acham que ele vai devorá-las?

A antiga Rua d'Urfé ficava perto, ladeada de velhas mansões do século XVIII, na frente das quais se podia ler nomes históricos: La Rocheferté... Ourmes... Eram todas um tanto parecidas umas com as outras, de fachadas tristes, um mezanino no fundo, um pórtico alto, o edifício principal atrás de um pátio maltratado. A mansão de Mélamare não se diferenciava das outras.

No momento exato em que d'Enneris ia tocar a campainha chegou um táxi, e dele desceram Van Houben e Béchoux, ambos muito embaraçados, mas ainda assim arrogantes na aparência.

D'Enneris cruzou os braços com indignação.

– Pois bem, na verdade eles têm topete, esses dois aí! Uma hora atrás, eu não era bom nem para lançar aos cães, mas agora vejam como se agarram a nós!

Virou as costas e tocou. Um minuto depois, uma porta de uma das folhas do pórtico foi aberta por um velhote de libré curta e uma túnica marrom, um velhote alquebrado e sem forças. D'Enneris lhe disse seu nome. Ele replicou:

– O senhor conde o espera, meu senhor. Faça o favor...

Indicou com o dedo, do outro lado do pátio, a escada central, abrigada por uma marquise. Mas Régine quase desmaiou de repente, e balbuciou:

– Seis degraus... a escada de seis degraus...

Ao que Arlette fez eco, murmurando em tom menos sofrido:

– Sim, seis degraus... é a mesma escada... o mesmo pátio... Será possível! É aqui mesmo... aqui mesmo!

BÉCHOUX, POLICIAL

D'Enneris segurou cada uma das duas moças pelo braço, fazendo-as se aprumar.

– Calma, que diabo! Nada poderemos fazer se vocês fraquejarem assim na primeira ocasião.

O velho mordomo caminhava um pouco na frente. Van Houben, que havia entrado por conta própria no pátio, assim como Béchoux, assoprou no ouvido deste:

– E aí, hein? Que faro eu tive. Felizmente aqui estamos! Atenção aos diamantes... Não podemos perder d'Enneris de vista.

Atravessaram o pátio pavimentado com grandes lajotas irregulares. As paredes das casas vizinhas, sem janelas, ladeavam a mansão à esquerda e à direita. No fundo, a casa, animada por altas janelas, tinha um porte majestoso. Subiram os seis degraus.

Régine Aubry murmurou:

– Se o vestíbulo for ladrilhado de preto e branco, vou me sentir mal.

– Ora, por favor! – protestou d'Enneris.

O vestíbulo era ladrilhado de preto e branco.

Mas d'Enneris beliscou tão fortemente o braço de suas companheiras que elas prosseguiram, apesar das pernas vacilantes.

– Caramba – resmungou ele, rindo –, não viemos aqui à toa.

– A passadeira da escada – murmurou Régine – é a mesma.

– A mesma... – gemeu Arlette. – E o mesmo corrimão...

– Pois bem, e daí? – disse d'Enneris.

– Mas e se reconhecermos o salão...?

– O essencial é chegarmos lá, e suponho que o conde, se for culpado, não vai querer nos levar até lá.

– E então...?

– Então vamos ter que forçar a situação. Vamos ver, Arlette, coragem, e nenhuma palavra, aconteça o que acontecer!

Nesse momento o conde Adrien de Mélamare veio ao encontro dos visitantes e os levou para uma peça no térreo, guarnecida de belos móveis de acaju do tempo de Luís XVI, e que devia servir de gabinete de trabalho. Era um homem de cabelo grisalho, de talvez 45 anos, bem aprumado, o rosto de aparência um tanto desagradável e pouco simpático. Tinha no olhar uma expressão vaga, às vezes distraída, e que desconcertava.

Saudou Régine, estremecendo ligeiramente ao ver Arlette, e logo em seguida mostrou-se muito cortês, mas de maneira um tanto superficial, habitual em um cavalheiro. Jean d'Enneris se apresentou e apresentou suas companheiras. Mas não disse uma palavra sobre Béchoux nem sobre Van Houben.

Este se inclinou um pouco mais que o necessário e disse, afetando ares de gracejo:

– Van Houben, o lapidador... o Van Houben dos diamantes roubados no Opéra. Meu colaborador, o senhor Béchoux.

O conde, se bem que muito espantado com o conjunto de visitantes, não fez nenhum comentário. Saudou e esperou.

Van Houben, os diamantes do Opéra, Béchoux, era como se tudo aquilo não tivesse significado algum para ele.

Então d'Enneris, completamente dono de si, sem nenhum embaraço, tomou a palavra:

– Senhor – disse ele –, o acaso resolve bem as coisas. Na verdade, acontece que hoje mesmo, em que venho lhe prestar um pequeno serviço, descobri, folheando um antigo catálogo de pessoas da sociedade, que somos primos distantes. Minha bisavó materna, da família Sourdin, se casou com um Mélamare, do ramo dos Mélamare-Saintonge.

A fisionomia do conde se iluminou. Aquelas questões de genealogia visivelmente lhe interessavam, e ele prosseguiu em um firme diálogo com Jean d'Enneris, ao fim do qual o parentesco deles ficou fortemente estabelecido. Arlette e Régine se recuperaram pouco a pouco. Van Houben disse em voz baixa a Béchoux:

– Então, o que é isso, ele é aparentado com os Mélamare!

– Como eu com o papa – resmungou Béchoux.

– Nesse caso, ele é um verdadeiro descarado!

– É só o começo.

Mas d'Enneris prosseguia, com mais desenvoltura:

– No entanto, estou abusando de sua paciência, senhor e querido primo, e, se me permite, devo lhe dizer logo de que maneira o acaso me favoreceu.

– Por favor, senhor.

– O acaso me favoreceu, uma primeira vez, quando pus os olhos, no metrô, certa manhã, no seu anúncio no jornal. Confesso que ele me chamou a atenção pela própria composição e pela insignificância dos objetos reclamados. A ponta de uma faixa azul, um espelho de fechadura, uma arandela, o suporte de uma pinça de lareira, são coisas que não mereceriam talvez um comunicado aos jornais. Alguns minutos depois, aliás, eu não pensava mais no caso, e sem dúvida não teria me preocupado mais com ele, se...

Após um instante de hábil suspense, Jean continuou:

– Naturalmente o senhor conhece, meu caro primo, o mercado das pulgas, aquela feira pitoresca onde se acumulam os objetos mais heterogêneos, em uma desordem divertida. De minha parte, costumo encontrar ali coisas bem bonitas, e jamais, em todo caso, me arrependi dos passeios que faço por lá. Nesta manhã, por exemplo, uma fonte de água-benta de antiga faiança de Rouen, quebrada, colada e remendada, mas de um estilo encantador... Uma sopeira... um dedal de costura... em suma, uma série de pechinchas. E de repente, sobre a calçada, no meio de um monte de utensílios sem valor jogados ali à toa, eis que meu olhar caiu sobre a ponta de uma faixa... Sim, meu caro primo, a ponta de uma faixa de campainha, de seda azul, usada, meio desbotada. E, ao lado, um espelho de fechadura, uma arandela de prata...

A atitude do senhor de Mélamare subitamente se transformou. Rapidamente, em uma agitação extrema, ele exclamou:

– Esses objetos! Será possível! Exatamente os que eu reclamei! Mas aonde devo ir, senhor? Como faço para reavê-los?

– É só me pedir, pura e simplesmente.

– Hein?! O senhor os comprou! A que preço? Eu o reembolso em dobro, em triplo! Mas gostaria...

D'Enneris o acalmou.

– Permita-me oferecê-los, meu caro primo. Paguei por tudo treze francos e cinquenta!

– Estão em sua casa?

– Estão comigo aqui, em meu bolso. Acabei de pegá-los em casa.

O conde Adrien estendeu a mão sem se envergonhar.

– Um segundo – disse Jean d'Enneris, alegremente. – Desejo uma pequena recompensa... Ah, mínima! Mas sou muito curioso, excessivamente curioso de natureza... e gostaria de ver o lugar que esses objetos ocupavam... e também por que os quer tanto assim.

O conde hesitou. O pedido era indiscreto e demonstrava alguma desconfiança, mas também aquela hesitação de sua parte era significativa. Porém, afinal, replicou:

– É fácil, senhor. Queira me seguir ao primeiro andar, até o salão.

D'Enneris lançou um olhar de lado às duas moças, como se lhes dissesse: "Vejam só... a gente sempre consegue o que quer".

Mas, ao observá-las, notou o transtorno na fisionomia delas. O salão, para elas, era o próprio lugar das provações que tinham experimentado. Voltar lá seria afirmar a absoluta certeza disso. Van Houben também havia compreendido: uma nova etapa iria ser transposta. O delegado Béchoux, ao seu lado, se animava. Colocou-se ao lado do conde.

– Queiram me desculpar – disse este –, eu lhes mostro o caminho.

Saíram da sala e atravessaram o vestíbulo ladrilhado.

O eco sonoro dos passos preencheu o recinto da escada. Ao subir, Régine contou os degraus. Eram vinte e cinco... Vinte e cinco! Exatamente o mesmo número. Ela teve ainda uma vertigem, mais séria, e balançou.

Todos se apressaram a acudi-la. Que estava acontecendo? Do que sofria?

– Nada – murmurou Régine, sem abrir os olhos –, não... uma simples tontura... Vocês me perdoem.

– Deve se sentar, senhora – disse o conde empurrando a porta do salão.

Van Houben e d'Enneris se instalaram no sofá. Mas quando Arlette entrou e viu o salão, soltou um grito, sentiu tudo girar e caiu desmaiada em uma poltrona.

Foi então uma correria, um tumulto um tanto cômico. Corria-se para a direita e para a esquerda ao acaso. O conde chamou:

– Gilberte...! Gertrude...! depressa! Os sais... o éter. François, chame Gertrude.

François chegou primeiro. Era o mordomo velho e sem dúvida o único empregado. Logo depois, chegou sua mulher, Gertrude, tão velha quanto ele e mais enrugada ainda. Ela o seguiu de perto. Depois entrou a pessoa que o conde chamou de Gilberte e a quem o conde disse rapidamente:

– Minha irmã, estas são as duas jovens que estão indispostas.

Gilberte de Mélamare (divorciada, havia retomado seu nome de família) era alta, morena, altiva, com o rosto jovem e regular, mas com alguma coisa fora de moda no porte e nas roupas. Era mais afável do que o irmão. Seus olhos negros, muito bonitos, mostravam uma expressão grave. D'Enneris notou que ela usava faixas de veludo preto na roupa cor de ameixa.

Embora a cena deva ter-lhe parecido inexplicável, ela manteve todo o seu sangue-frio. Após molhar com água-de-colônia a testa de Arlette, encarregou Gertrude de cuidar dela, e então se aproximou de Régine, em torno de quem Van Houben logo se desmanchara em cuidados. Jean d'Enneris afastou Van Houben, a fim de observar de perto o acontecimento que previra. Gilberte de Mélamare se inclinou e disse:

– E a senhorita? Não deve ser nada muito sério, não é mesmo? O que está sentindo?

Fez Régine cheirar um frasco de sais. Esta ergueu as pálpebras, olhou para aquela senhora, olhou para seu vestido cor de ameixa com faixas de veludo preto, depois para suas mãos, e se levantou de repente, gritando com um terror indizível:

– O anel! As três pérolas! Não me toque! A senhora é a mulher da outra noite! Sim, é a senhora... reconheço seu anel... reconheço sua mão... e também este salão... os móveis de seda azul... o assoalho...a lareira... a tapeçaria... o móvel de acaju... Ah, deixe-me, não toque em mim!

Balbuciou ainda algumas palavras indistintas, balançou como da primeira vez e desmaiou novamente. E Arlette, que por sua vez despertara, reconhecendo os sapatos pontudos que tinha observado no carro e ouvindo soar a pancada aguda do relógio de pêndulo da lareira, gemeu:

– Ah, esse som é o mesmo, e é a mesma mulher... Que horror!

O estupor foi tal que ninguém se mexeu. A cena tomava um ar de comédia ligeira que suscitara o riso de uma testemunha indiferente, e, de fato, os lábios finos de Jean d'Enneris se franziram levemente. Ele se divertia.

Van Houben interrogava ora d'Enneris, ora Béchoux, para saber o que pensar daquilo.

– O que significam essas palavras? – murmurou o conde. – De que anel se trata? Imagino que essa senhorita esteja delirando.

Então d'Enneris interveio, e o fez de maneira tão alegre que não parecia dar nenhuma importância àqueles acontecimentos.

– Meu caro primo, você disse a palavra exata, a emoção de minhas duas amigas deve ter alguma relação com esse tipo de febre injustificada que só pode ser explicada por um delírio. Isso faz parte das explicações que lhe devo, e que vim até aqui para anunciar. Mas posso lhe pedir que espere mais um pouco? E que acertemos agora essa questão dos objetos recolhidos por mim?

O conde Adrien não respondeu imediatamente.

Mostrava algum embaraço misturado com uma visível inquietação, murmurando frases inacabadas:

– O que vem a ser isso, e o que devo pensar disso tudo? Imagino que é difícil...

Chamou sua irmã de lado e começaram a conversar entre si com animação. Mas Jean se aproximou dele, tendo entre o polegar e o indicador uma pequena placa de cobre trabalhada, que representava duas borboletas de asas abertas.

– Aqui está o espelho da fechadura, meu caro primo. Suponho que seja exatamente aquele que falta em uma das gavetas de sua escrivaninha, não? É idêntico aos outros dois.

Ele mesmo recolocou o pedaço de cobre, que reencontrou seu lugar, e cujas pontas da face interna se instalaram perfeitamente em seus antigos buracos. Em seguida, Jean d'Enneris tirou do bolso uma faixa azul à qual se pendurava a argola de campainha igualmente de cobre, e, como se percebia ao longo da lareira uma outra faixa que pendia, esfiapada por baixo e da mesma cor, ele se aproximou. As duas extremidades coincidiam exatamente.

– Tudo está indo bem – disse ele. – E esta arandela de castiçal, meu caro primo, onde é que a colocamos?

– Neste castiçal, senhor – disse o conde Adrien, em tom rabugento. – Eram seis. Como pode ver, não estão aqui mais do que cinco... das quais esta não difere em nada. Resta o suporte de pinças, que foi desparafusado, como pode se certificar.

– Aí está – disse Jean, que, como um prestidigitador, continuava a tirar do bolso inesgotável todos aqueles objetos. – E agora, meu caro primo, poderia cumprir sua promessa e nos dizer por que essas bugigangas lhe são tão importantes, e por que não se achavam em seu lugar habitual, não é? Aquelas diversas operações haviam dado ao conde tempo de se refazer, e ele parecia ter se esquecido das imprecações de Régine e dos gemidos de Arlette, porque respondeu, em termos breves, e como para se desembaraçar do intruso que lhe havia extorquido aquela promessa inoportuna:

– Sou muito ligado a tudo o que me foi legado pelos meus, e as mínimas bugigangas, como você chama, nos são, a mim e à minha irmã, tão sagradas como os objetos mais raros.

A explicação valia o que valia. Jean d'Enneris continuou:

– Que tenha esse cuidado, meu caro primo, é bastante legítimo, e eu sei por mim mesmo como a gente se liga às lembranças de família. Mas por que elas desapareceram?

– Eu ignoro – disse o conde. – Uma manhã, constatei que faltava essa arandela. Fiz uma inspeção minuciosa com minha irmã. O espelho da fechadura também faltava, e uma parte dessa faixa, e o suporte das pinças.

– Um roubo, então?

– Um roubo, certamente, e efetuado em uma única vez.

– Como! Poderiam ter levado essas bomboneiras, essas miniaturas, esse pêndulo, essa prataria, todas coisas de valor... E escolheram aquilo que havia de mais insignificante? Por quê?

– Ignoro, senhor.

O conde repetiu essas palavras em tom seco. Essas perguntas já o aborreciam, e a visita, para ele, não tinha mais sentido.

– Talvez, no entanto – disse Jean –, meu caro primo, deseje que eu lhe explique as razões pelas quais eu trouxe aqui minhas duas amigas e as razões da emoção manifestada por elas.

– Não – declarou claramente o conde Adrien. – Isso não me diz respeito.

Ele tinha pressa em terminar com aquilo, então ensaiou um movimento em direção à porta. Mas encontrou na sua frente Béchoux, que havia se aproximado e lhe disse seriamente:

– Isso lhe diz respeito, senhor conde. Certas perguntas devem ser esclarecidas na hora, e serão.

A intervenção de Béchoux foi imperiosa. O delegado barrou a porta com seus longos braços estendidos.

– Mas quem é o senhor? – exclamou o conde com altivez.

– O delegado Béchoux, dos serviços da Sûreté.

O senhor de Mélamare pulou de seu lugar.

– Um policial, o senhor? Com que direito o senhor entrou em minha casa? Um policial aqui, na mansão Mélamare!

– Eu lhe fui apresentado sob o nome de Béchoux desde minha chegada, senhor conde. Mas o que vi e o que ouvi me obrigam a fazer preceder meu nome de meu grau de delegado.

– O que o senhor viu...? O que o senhor ouviu? – balbuciou o senhor de Mélamare, cujo rosto se descompunha ainda mais. – Porém, na verdade, senhor, não o autorizo...

– Essa é a menor das minhas preocupações – resmungou Béchoux, que não primava pela educação.

O conde se virou para a irmã, e eles tiveram novamente um diálogo veemente e rápido. Gilberte de Mélamare mostrava-se tão agitada quanto o irmão. De pé, apoiados um no outro, esperavam em atitude combativa, de pessoas que sentem a importância do ataque.

– Aí está Béchoux enfurecido – disse Van Houben em voz baixa a Jean.

– Sim, eu via que ele se excitava pouco a pouco. Conheço meu bonachão. Ele começa relutante e com os olhos meio fechados. Depois, de repente, estoura.

Arlette e Régine haviam se levantado também e se achavam atrás, protegidas por Jean.

E Béchoux declarou:

– Não vou me alongar, senhor conde. Peço-lhe apenas que me responda a algumas questões, sem rodeios. A que horas o senhor saiu de sua casa ontem? E a senhora de Mélamare?

O conde deu de ombros e não respondeu. Sua irmã, mais maleável, julgou preferível responder.

– Saímos, meu irmão e eu, às duas horas e voltamos às quatro e meia, para tomar o chá.

– E depois?

– Não fomos a lugar algum. Nunca saímos à noite.

– Essa é outra questão – disse Béchoux com ironia. – O que eu gostaria de saber é como empregaram seu tempo aqui, nesta sala, ontem, entre as oito horas e a meia-noite.

O senhor de Mélamare bateu o pé com raiva e pediu à irmã que se calasse. Béchoux compreendeu que de maneira alguma os obrigaria a falar, e isso o deixou de tal modo enfurecido que, levado por sua convicção, lançou sobre os dois toda a acusação sem fazer mais perguntas, com uma voz contida no início, depois áspera, dura e colérica:

– Senhor conde, não esteve em sua casa ontem à tarde, nem a senhora sua irmã, mas sim diante do nº 3 bis da Rua do Mont-Thabor. Fazendo-se passar por um tal doutor Bricou, esperou uma jovem para quem armou uma armadilha, manteve-a presa em seu automóvel, onde sua irmã lhe cobriu a cabeça com um tecido, e a trouxe aqui, para sua casa. Essa jovem escapou. O senhor correu atrás dela pelas ruas, sem conseguir pegá-la de novo. É esta aqui.

O conde vociferou, com os lábios crispados, os punhos cerrados:

– O senhor está louco! O que querem afinal todos esses loucos?

– Não sou louco! – proferiu o policial, que pouco a pouco deslizara para o melodrama e a grandiloquência, com termos pomposos e vulgares que muito divertiram d'Enneris. – Digo apenas a verdade exata. Provas? Estou com os bolsos cheios delas. A senhorita Arlette Mazolle, que o senhor conhece, que o esperou na porta da Maison Chernitz, pode nos servir de testemunha. Ela tinha subido em sua lareira. Escondeu-se sobre essa estante de livros. Derrubou esse jarro de bronze. Abriu aquela janela. Atravessou esse jardim. Ela jura por sua mãe. Não é, Arlette Mazolle, que a senhorita jura pela sua mãe?

D'Enneris disse ao ouvido de Van Houben:

– Mas ele está perdendo o fio da meada. Com que direito ele banca o juiz de instrução? E que juiz lamentável! Somente ele é que fala... Quando digo que ele fala...!

Béchoux berrava, com efeito, diante do conde, cujos olhos desvairados exprimiam um desespero sem limites.

– E não é tudo, meu senhor! Não é tudo. Ainda não é nada! Há outra coisa! Esta senhora... esta senhora... (referia-se a Régine Aubry) o senhor a conhece, hein? Ela é que foi raptada naquela noite no Théâtre de l'Opéra, e por quem? Hein, quem foi que a conduziu até aqui, a este salão... cujos móveis ela reconhece... não é, senhora? Essas poltronas... esse banco... esse assoalho... Hein, senhor, quem a trouxe aqui? Quem a despojou do corpete de diamantes? O conde de Mélamare... A prova? Este anel de três pérolas... Mas temos até provas demais. O Ministério Público decidirá, senhor, e meus chefes...

Ele não terminou. O conde de Mélamare, fora de si, agarrara-o pela garganta e o sacudia violentamente, cobrindo-o de insultos. Béchoux se desvencilhou dele, mostrou-lhe os punhos, e recomeçou então seu discurso insólito. Arrastado pela evidência dos fatos, pelo papel que desempenhava no caso e sobretudo pela importância que esse papel lhe dava junto a seus chefes e junto ao público, ele tinha perdido o fio da meada, como dizia d'Enneris. E ele mesmo sentia isso tão bem que então se deteve, enxugou a testa banhada de suor e de repente, muito digno, emendou:

– Estou indo além de meus direitos, confesso. Isso não é da minha competência e vou telefonar à Chefatura de Polícia. Vocês devem esperar as instruções que vou receber.

O conde desmoronou e colocou a cabeça entre as mãos, como um homem que nem ao menos tenta se defender. Mas Gilberte de Mélamare barrou a passagem ao delegado. Ela sufocava.

– A polícia! A polícia vai vir aqui...? nesta casa? Mas não... não... vejamos, isso não é possível... Houve todos esses acontecimentos... o senhor não tem o direito... isso é um crime.

– Sinto muito, senhora – disse Béchoux, cuja vitória o tornava subitamente polido.

Mas ela se agarrava ao braço do policial e lhe implorava.

– Eu lhe suplico, senhor. Meu irmão e eu somos vítimas de um horrível mal-entendido. Meu irmão é incapaz de uma maldade dessas... Eu lhe imploro...

Béchoux foi inflexível. Havia visto o aparelho telefônico na antessala. Foi até lá, telefonou e logo voltou.

As coisas não se arrastaram muito. Após meia hora, tempo durante o qual Béchoux, cada vez mais excitado, discursava diante de d'Enneris e Van Houben, enquanto Régine e Arlette examinavam o irmão e a irmã com um misto de receio e compaixão, chegou o chefe da Sûreté, acompanhado de agentes, e logo seguido de um juiz de instrução, um escrivão e um procurador. O telefonema de Béchoux tinha produzido efeito.

Um inquérito sumário foi aberto. Interrogou-se o casal de velhos empregados domésticos. Eles moravam em uma ala fora da casa e não se ocupavam senão de seu serviço. Terminado o serviço, eles se retiravam para seus aposentos ou para a cozinha, que dava para o jardim.

Mas o depoimento das duas jovens foi esmagador, e suficiente pela simples evocação de suas lembranças. Arlette, em particular, mostrou o caminho que tinha tomado para escapar, e o descreveu, antes mesmo de rever, o jardim, os arbustos, o muro, o pavilhão isolado, a porta, a rua deserta que dava para uma rua mais animada. Nenhuma dúvida subsistiu.

Além do mais, Béchoux fez uma descoberta que lhe proporcionou todas as honras, e que não deixou margem à menor dúvida ou hesitação. Ao inspecionar rapidamente o interior da estante-biblioteca, Béchoux notou uma série de velhas edições em formato in-quarto[2], em suas antigas encadernações. Estas lhe pareceram suspeitas. Uma a uma, ele as examinou. Estavam vazias de páginas e formavam caixas. Uma delas continha um estojo de prata, outra, o corpete de diamantes.

---

[2] Termo das artes gráficas. Refere-se a uma folha de impressão dobrada duas vezes, com que se produz um caderno de quatro folhas ou oito páginas. (N.T.)

Régine imediatamente exclamou:

– Minha túnica...! Meu corpete!

– E os diamantes não estão mais aí! – vociferou Van Houben, também transtornado por ter sido roubado uma segunda vez. – Meus diamantes, o que o senhor fez deles? Ah, mas eu vou esganá-lo...

O conde de Mélamare assistia a essa cena impassível, mas com uma expressão estranha. Quando o juiz se virou para ele mostrando a túnica e o corpete de onde os diamantes haviam sido arrancados, ele ergueu a cabeça e contraiu a boca em um sorriso horrível.

– Minha irmã não está aí? – sussurrou, olhando em torno de si.

A velha criada respondeu:

– Acho que a senhora está em seu quarto.

– Diga-lhe adeus de minha parte, e que eu a aconselho a seguir meu exemplo.

E rapidamente tirou um revólver do bolso, apontou-o para a própria cabeça e apertou o gatilho.

Em um gesto brusco, d'Enneris, que o vigiava, agarrou-lhe o pulso. A bala, desviada, acabou quebrando um dos vidros da janela. Os agentes se lançaram sobre o senhor de Mélamare. O juiz de instrução pronunciou:

– O senhor está preso. Levaremos também a senhora de Mélamare.

Mas, quando procuraram a condessa, não a encontraram nem em seu quarto nem em no toucador. Revistaram toda a casa. Por onde ela teria escapado? E com a cumplicidade de quem?

D'Enneris, muito inquieto, temendo um suicídio, dirigiu as investigações. Foram em vão.

– Não importa – murmurou Béchoux –, o senhor não está longe de recuperar seus diamantes, senhor Van Houben. Nossa situação é boa, e fiz um bom trabalho.

– Jean d'Enneris também, vamos reconhecer – observou Van Houben.

– Faltou-lhe audácia no meio do caminho – replicou Béchoux. – Minha acusação foi decisiva.

Algumas horas mais tarde, Van Houben entrava em seu magnífico apartamento no boulevard Haussmann. Havia jantado em um restaurante com o delegado Béchoux e o levou a sua casa para falarem ainda do caso que preocupava tanto um quanto o outro.

– Escute, escute – disse ele, após um momento de conversa –, acho que ouvi um ruído nos fundos do apartamento. Sei que os criados não dormem desse lado.

E, acompanhado de Béchoux, Van Houben seguiu por um longo corredor, na extremidade do qual se encontrava um pequeno aposento com saída independente para a escadaria do vestíbulo do edifício.

– Dois quartos completamente separados – disse ele –, onde às vezes recebo amigos.

Béchoux prestou atenção.

– Com efeito, há alguém aí.

– É curioso. Ninguém tem a chave.

De revólver em punho, eles entraram de repente, e logo Van Houben exclamou:

– Em nome de De...! – ao que Béchoux respondeu com outra exclamação: – Minha nossa!

De joelhos diante de uma mulher deitada em um sofá, Jean d'Enneris beijava levemente, de acordo com seu método calmante, o alto da testa e do cabelo dela.

Eles se aproximaram e reconheceram Gilberte de Mélamare, de olhos fechados, muito pálida e com o peito arfante.

D'Enneris, furioso, plantou-se diante dos recém-chegados.

– Vocês de novo! Mas que diabo! Não se pode ficar tranquilo! O que é que vieram procurar aqui, vocês dois?

– Como, o que nós viemos fazer? – exclamou Van Houben. – Mas estou na minha casa, aqui!

E Béchoux, indignado, arrematou:

– Pois bem! Mas você tem mesmo topete! Então foi você que ajudou a condessa a fugir de casa?

D'Enneris, subitamente calmo, girou sobre os calcanhares.
— Não se pode esconder nada de você, Béchoux. Meu Deus, sim, fui eu.
— Você é atrevido!
— Nem tanto, caro amigo, você tinha esquecido de colocar um agente no jardim. Então eu a fiz fugir por ali, marcando encontro com ela em uma rua vizinha onde ela apanhou um carro. Terminada a cerimônia de instrução da Justiça, eu a encontrei e então, após tê-la trazido até aqui, estou cuidando dela.
— Mas quem o deixou entrar, que diabo? — perguntou Van Houben. Ninguém tem a chave desse aposento!
— Não preciso. Com meus grampos, abro qualquer porta em um instante. Inúmeras vezes já visitei sua casa assim, caro amigo, e pensei que não haveria melhor refúgio para a senhora Mélamare do que um canto isolado. Quem poderia imaginar que Van Houben daria refúgio à condessa de Mélamare? Ninguém. Nem mesmo Béchoux! Ela vai ficar aqui, muito tranquila, sob sua proteção, até que o caso seja esclarecido. A camareira que vai servi-la pensará que é mais uma nova amiga sua, já que Régine já está perdida.
— Eu o prendo! Previno a polícia! — exclamou Béchoux.
D'Enneris estourou de rir.
— Ah! Isso é engraçado! Vamos ver. Você sabe muito bem que não vai tocar nela. Ela é sagrada.
— Você acha, é?
— Claro! Por isso que eu a protejo.
Béchoux estava exasperado.
— Então, está protegendo uma ladra?
— Ladra? O que é que você está dizendo?
— Como! A irmã do homem que você ajudou a prender?
— É uma calúnia odiosa! Não fui eu que o prendi. Foi você mesmo, Béchoux.
— Por sua indicação, e porque ele é culpado, sem contestação possível.

– O que é que você sabe disso?

– Hein? Então não tem mais certeza?

– Palavra, claro que não – disse Jean d'Enneris, em tom de ironia. – Há em tudo isso coisas muito desconcertantes. Ladrão, aquele nobre senhor? Ladra, aquela senhora tão orgulhosa, a quem não me atrevo a beijar senão o cabelo? Na verdade, Béchoux, estou me perguntando se você não se precipitou, lançando-se com imprudência em um caso bem ingrato... Que responsabilidade, Béchoux!

Béchoux escutava, hesitante e pálido. Van Houben, com o coração apertado de angústia, sentia seus diamantes serem mais uma vez roubados na escuridão.

Jean d'Enneris, ajoelhando-se respeitosamente diante da condessa, murmurou:

– A senhora não é culpada, não é? É inadmissível que uma mulher como a senhora tenha roubado. Prometa-me dizer toda a verdade a respeito de seu irmão...

É ESSE O INIMIGO?

Nada é tão aborrecido como o relato detalhado de uma instrução judicial, sobretudo quando se trata de um caso conhecido, sobre o qual todo mundo falou, e a propósito do qual cada um já formou uma opinião mais ou menos exata. O interesse destas páginas consiste, portanto, unicamente em lançar luz naquilo que o público ignorou e que a Justiça não conseguiu esclarecer, e isso, definitivamente, significa contar os fatos e movimentos de Jean d'Enneris, ou seja, de Arsène Lupin.

É suficiente lembrar como o inquérito foi inútil. O casal de velhos criados, embora indignados com o fato de terem ousado suspeitar de seus patrões, que eles serviam havia mais de vinte anos, não pôde dizer uma palavra que os desculpassem. Gertrude nunca deixava sua cozinha a não ser para fazer as compras da manhã. Quando tocavam a campainha – o que era raro, porque havia poucas visitas –, François vestia sua libré e ia abrir a porta.

Uma investigação atenta permitiu afirmar que não havia nenhuma saída furtiva. O pequeno cômodo ao lado do salão, outrora uma alcova com uma passagem, era utilizado como quarto de despejo. Em nenhuma parte, nada de suspeito, nada disfarçado.

No pátio, nenhum alojamento. Nenhuma vaga para carro. Descobriu-se que o conde sabia guiar. Mas, se tinha carro, onde o guardava? E onde ficava sua garagem? Todas perguntas sem resposta.

Por outro lado, a condessa de Mélamare continuava invisível, e o conde se trancara em um mutismo absoluto, recusando-se tanto a se explicar em relação a pontos essenciais quanto a dar as menores informações sobre sua vida privada.

Um fato, no entanto, deve ser considerado, porque dominou toda essa aventura e a ideia geral que cada um havia concebido instantaneamente no meio judiciário, como na imprensa e em meio ao público. Esse fato, que d'Enneris tinha aventado desde o início e a propósito do qual quisera se informar, segue-se aqui, despojado de qualquer comentário: em 1840 o bisavô do atual conde, Jules de Mélamare, o mais ilustre da linhagem dos Mélamare, general de Napoleão, embaixador durante a Restauração, tinha sido preso por roubo e assassinato. Morrera de congestão em sua cela.

Examinou-se a questão mais de perto. Folhearam-se os arquivos. Certas recordações foram evocadas. E um documento de importância considerável foi trazido à luz. Em 1868, o filho desse Mélamare, e avô do conde Adrien, Alphonse de Mélamare, oficial de ordenança do imperador Napoleão III, foi condenado por roubo e assassinato. Em sua casa da Rua d'Urfé, deu um tiro na cabeça. O imperador abafou o caso.

A lembrança desse duplo escândalo causou grande impressão. Imediatamente uma palavra esclareceu o drama atual e resumiu a situação: atavismo. Se o irmão e a irmã não possuíam uma grande fortuna, ao menos desfrutavam de certo conforto, tendo casa em Paris e castelo na Touraine, e dedicando-se a obras humanitárias e beneficentes. Não era, portanto, unicamente a cupidez que podia explicar o incidente do Opéra e o roubo dos diamantes. Não, era o atavismo. Os Mélamare tinham o instinto do roubo. O irmão e a irmã tinham herdado isso de seus antepassados. Haviam roubado, sem dúvida para fazer frente a um estilo de vida superior aos seus recursos, ou talvez movidos por uma tentação forte demais, porém sobretudo por necessidade atávica.

E, como seu avô Alphonse de Mélamare, o conde Adrien quisera se matar. Ainda o atavismo.

Quanto aos diamantes, quanto ao rapto das duas jovens, quanto ao que estavam fazendo exatamente no horário dos dois episódios, quanto à túnica encontrada em sua biblioteca, quanto a tudo aquilo que constituía o lado misterioso da aventura, ele afirmava não saber nada. Não tinha nada a ver com a situação. Para ele, tudo aquilo parecia se passar em outro planeta.

Apenas quis se desculpar a propósito de Arlette Mazolle. Havia tido, disse ele, relações com uma mulher casada, moça que ele amava muito, e que morrera alguns anos antes. Isso, no entanto, lhe causara um profundo sofrimento. Ora, Arlette parecia-se com essa moça, e ele a havia seguido duas ou três vezes, involuntariamente, pela lembrança que lhe trazia da moça que perdera. Porém negou, com energia, que tivesse tentado abordá-la em uma rua deserta, segundo a acusação de Arlette Mazolle.

Quinze dias se passaram assim, durante os quais o delegado Béchoux, raivoso e obstinado, empenhou-se na maior e mais inútil atividade. Van Houben, que seguia seus passos, lamentava-se.

– Perdidos! Digo-lhe que meus diamantes estão perdidos.

Béchoux mostrou os punhos fechados.

– Seus diamantes? É como se eu os tivesse em minhas mãos. Peguei os Mélamare, pegarei seus diamantes.

– O senhor tem certeza de não precisar mais de d'Enneris?

– Nunca na vida! Prefiro falhar em tudo a ter que me dirigir a ele.

Van Houben se rebelou.

– O senhor tem cada uma, ora! Meus diamantes deveriam vir antes de seu amor-próprio.

Van Houben, aliás, não parava de estimular Jean d'Enneris, que ele encontrava diariamente. Não podia entrar no aposento isolado onde Gilberte de Mélamare estava escondida sem o ver sentado aos pés da condessa, sempre consolando-a, dando-lhe esperanças, prometendo salvar seu irmão da morte e da desonra e, de resto, não obtendo dela nenhuma informação, nenhuma palavra que o pudesse guiar.

E se Van Houben, voltando-se para Régine Aubry, quisesse levá-la a um restaurante, tinha certeza de encontrar d'Enneris em vias de lhe fazer a corte.

– Deixe-nos tranquilos, Van Houben – dizia a bela atriz –, não posso mais vê-lo nem pintado depois de todas essas histórias.

Van Houben não se aborrecia, e chamava d'Enneris à parte:

– Vamos, caro amigo, e meus diamantes?

– Estou com outra coisa na cabeça. Régine e Gilberte tomam todo o meu tempo, uma à tarde, outra à noite.

– Mas e de manhã...?

– Arlette. Ela é adorável, essa menina, fina, inteligente, intuitiva, feliz e tocante, simples como uma criança e misteriosa como uma verdadeira mulher. E tão honesta! Na primeira noite consegui, de surpresa, beijar suas faces. Mas agora acabou! Van Houben, acredito mesmo que é Arlette que eu prefiro.

D'Enneris dizia a verdade. Seu capricho por Régine se transformara em uma bela amizade. Não via mais Gilberte senão pelo vão desespero de obter confidências. Mas passava junto de Arlette manhãs que o fascinavam. Havia nela um encanto particular, que vinha de uma profunda ingenuidade e um bom entendimento da vida. Todos os sonhos quiméricos que tinha de ajudar suas colegas tomavam para ela a aparência de acontecimentos realizáveis quando os expunha, sorrindo.

– Arlette, Arlette – dizia ele –, não conheço pessoa mais clara que você, e mais misteriosa.

– Mais misteriosa? – dizia ela.

– Sim, em certos momentos. Compreendo você inteiramente, a não ser em um ponto, que é para mim impenetrável, e que, coisa estranha, não existia quando me aproximei pela primeira vez. A cada dia o enigma aumenta. Enigma sentimental, acredito.

– Não é possível! – disse ela, rindo.

– Sim, sentimental... Você não ama alguém?

– Se eu amo alguém? Mas eu amo todo mundo!
– Não, não – dizia ele –, há algo de novo na sua vida.
– Acredito que há algo de novo! Raptos, emoções, inquéritos, interrogatórios, um monte de gente que me escreve, barulho, muito barulho em volta de mim! Coisas que fazem uma pequena modelo perder a cabeça!

Ele abanava a cabeça e olhava para ela com ternura crescente.

No entanto, no Ministério Público, o processo de instrução não prosseguia. Vinte dias depois da detenção do senhor de Mélamare, continuava-se a recolher testemunhos sem valor e a efetuar investigações que não levavam a nada. Todas as pistas eram ruins, e todas as hipóteses, falsas. Não se conseguia encontrar nem mesmo o primeiro motorista que tinha conduzido Arlette da casa de Mélamare à Praça des Victoires.

Van Houben emagrecia. Não via mais nenhuma relação entre a detenção do conde e o roubo dos diamantes, e não se incomodava mais em suspeitar em altos brados das qualidades de Béchoux.

Uma tarde, dois homens bateram à porta do andar térreo que d'Enneris ocupava perto do Parque Monceau. O criado abriu e os recebeu.

– Vão embora – exclamou d'Enneris, aproximando-se deles. – Van Houben! Béchoux! Pois bem, na verdade, vocês não têm orgulho!

Eles confessaram seu desespero.

– É um desses casos que já começam mal – confessou penosamente o delegado Béchoux. – É falta de sorte.

– Falta de sorte é para os tolos como você – disse d'Enneris. – Enfim, serei camarada. Mas obediência absoluta, hein? Senão, cabeças vão rolar, como antigamente!

– Sim, pode ter certeza – declarou Van Houben –, reanimado pelo bom humor de d'Enneris.

– Você manda – disse Béchoux, com voz sinistra.

– Você vai deixar de lado a Chefatura, vai sentar no Ministério Público, depois vai dizer que essa gente não é capaz de nada, e vai me dar garantias.

– Que garantias?

– Garantias de colaboração leal. Em que pé eles estão lá?

– Amanhã deve haver acareação entre o conde, Régine Aubry e Arlette Mazolle.

– Diabos! É preciso se apressar. Nenhum fato foi ocultado do público?

– Quase nada.

– Conte, então.

– Mélamare recebeu uma carta que foi descoberta em sua cela. Diz o seguinte: "Tudo se arranjará. Tem a minha garantia. Coragem." Investiguei. Fiquei sabendo, esta manhã, que a carta foi transmitida graças à cumplicidade de um garçom do restaurante que fornece refeições ao conde, e que me confessou que ele lhe respondeu.

– Você tem a descrição exata do correspondente?

– Exata.

– Perfeito! Van Houben, está de carro?

– Sim.

– Então vamos.

– Aonde?

E, depois de os três entrarem no carro, d'Enneris explicou:

– Existe um ponto, Béchoux, que você deixou passar e que, para mim, é capital. O que significa o anúncio que o conde fez nos jornais algumas semanas antes do caso? Que interesse ele teria em reclamar tais bugigangas? E que interesse alguém teria em roubá-las, em vez de tantos outros objetos de valor naquela casa da Rua d'Urfé? O único meio de elucidar essa questão, não acham, era me dirigir à feirante que me havia vendido as bugigangas, o cordão da campainha e outras futilidades, pela módica soma de treze francos e cinquenta. E foi o que fiz.

– E o resultado?

– Negativo até aqui, mas positivo dentro em breve, espero. Minha vendedora do mercado das pulgas, que fui ver no dia seguinte ao dos acontecimentos, lembrava-se muito bem da pessoa que lhe havia cedido os objetos por uma ninharia, a dona de um brechó que às vezes lhe vem oferecer objetos do mesmo tipo. Seu nome? Seu endereço? A vendedora os ignora. Mas está persuadida de que o senhor Gradin, antiquário, que lhe enviou a dona do brechó, poderia indicar. Corri até à loja do senhor Gradin, na Rive Gauche. Está viajando. Volta hoje.

Chegaram logo depois à loja do senhor Gradin, que respondeu sem hesitar:

– Trata-se evidentemente da velha Trianon, que chamamos assim por causa de sua loja, O Pequeno Trianon, na Rua Saint-Denis. É uma mulher esquisita, nada comunicativa, muito estranha, que faz saldo de montes de coisas insignificantes, mas que, além disso, me vendeu móveis bem interessantes, que tinha comprado de não sei quem... entre eles uma bela mobília acaju de puro estilo Luís XVI, fabricada pelo próprio Chapuis, grande marceneiro do século XVIII.

– Mobília que o senhor revendeu?

– Sim, e enviei para a América.

Os três homens saíram dali muito intrigados. A assinatura de Chapuis se encontrava na maior parte dos móveis do conde de Mélamare.

Van Houben esfregou as mãos.

– A coincidência é favorável para nós, e nada nos impede de acreditar que meus diamantes estejam em alguma gaveta secreta do Petit Trianon. Nesse caso, d'Enneris, estou certo de que você terá a delicadeza de...

– Dar-lhe os diamantes de presente...? Certamente, caro amigo.

O carro parou a alguma distância do Petit Trianon, onde d'Enneris e Van Houben entraram, deixando Béchoux na porta. Era uma loja estreita e comprida, repleta de bibelôs, vasos reconstituídos, porcelanas trincadas, roupas usadas e tudo o que um brechó vende. Nos fundos da loja, a velha Trianon, senhora gorda de cabelo grisalho, conversava com um senhor que tinha na mão uma garrafa sem rolha.

Lentamente, Van Houben e d'Enneris passearam entre as quinquilharias, como amadores que procuram uma oportunidade. Olhando de soslaio, d'Enneris observava o senhor, que não tinha o ar de um cliente que estivesse lá para comprar. Alto, loiro, forte, trinta e poucos anos talvez, de aspecto elegante e rosto franco, conversou um momento ainda, depois pousou a garrafa sem rolha e se dirigiu para a porta, examinando diferentes bibelôs e espiando tudo, inclusive, d'Enneris notou, os dois recém-chegados.

Van Houben, que nada percebia dessas manobras, e que havia chegado perto da velha Trianón, imaginou que podia travar conversa com ela, já que d'Enneris não se preocupou em fazê-lo, e lhe disse a meia-voz:

– Será que, por acaso, não lhe teriam vendido certos objetos que me foram roubados, por exemplo uma...

D'Enneris, pressentindo a imprudência do companheiro, tentou lhe fazer um sinal, mas Van Houben continuou:

– Por exemplo, um espelho de fechadura, metade de um cordão de campainha de seda azul...

A comerciante apurou o ouvido, depois trocou um olhar com o senhor, que virou a cabeça um pouco mais rapidamente do que seria natural, e franziu a testa.

– Palavra que não... – disse ela. – Procure por aí... Talvez encontre as coisas que mencionou.

O senhor esperou um momento, lançou de novo à vendedora um olhar rápido que pareceu alertá-la, e depois saiu.

D'Enneris dirigiu-se para a porta. O homem fez sinal para um táxi, subiu e, inclinando-se para o motorista, deu o endereço em voz baixa. Mas nesse exato momento o delegado Béchoux, que se aproximava, passava ao lado do carro.

D'Enneris não se mexeu pelo espaço de tempo em que ainda podia ser visto pelo desconhecido. Assim que o carro fez uma conversão, Béchoux e ele se juntaram.

– E então? Conseguiu ouvir?

– Sim, Hotel Concórdia, no bairro de Saint-Honoré.

– Mas então desconfiou dele?

– Tinha identificado o homem através das vidraças. É ele.

– Quem?

O sujeito que conseguiu passar uma carta ao conde de Mélamare, na cela.

– O correspondente do conde? E ele conversava com a mulher que vendeu os objetos roubados da casa de Mélamare! Caramba! Você tem de confessar, Béchoux, que é muita coincidência!

Mas a alegria de d'Enneris durou pouco. No Hotel Concórdia não tinham visto entrar ninguém que correspondesse à descrição. Esperaram. D'Enneris se impacientava.

– O endereço dado talvez seja falso – declarou ele por fim. – O indivíduo deve ter querido nos afastar do Petit Trianon.

– Por quê?

– Para ganhar tempo... Vamos voltar lá.

Ele não se enganara. Assim que desembarcaram na Rua Saint-Denis, constataram que o brechó já estava fechado, de persianas baixadas, com a barra de ferro passada e trancada com cadeado.

Os vizinhos não souberam dar nenhuma indicação. Todos conhecem de vista a velha Trianon. Mas nenhum deles nunca havia conseguido tirar dela uma única palavra. Dez minutos antes, tinham percebido que como toda noite, mas duas horas antes, ela mesma fechara sua loja. Onde teria ido? Ignoravam o local de sua residência.

– Logo vou saber – resmungou Béchoux.

– Não vai saber nada – afirmou d'Enneris. – A velha Trianon evidentemente está sob o controle do tal senhor, e este me pareceu ter o ar de quem conhece seu negócio, e que não só apara os golpes, mas não se furta em aplicá-los. Percebe o ataque, hein, Béchoux?

– Sim. Mas primeiro é preciso que ele se defenda.

– A melhor maneira de se defender é atacar.

– Ele não pode nada contra nós. A quem ele atacaria?

– A quem ele atacaria...?

D'Enneris refletiu alguns segundos, depois bruscamente pulou para dentro do carro, empurrou o motorista de Van Houben, tomou o volante e arrancou com uma velocidade que só deu, a Van Houben e a Béchoux, tempo de se pendurar nas portas. Graças a sua prodigiosa direção, enfiou-se pelas ruas, forçou passagem entre os veículos e logo alcançou as grandes avenidas. Subiram velozmente a Rua Lepic. Pararam na porta de Arlette. Irromperam na portaria.

– Arlette Mazolle?
– Saiu, senhor d'Enneris.
– Há quanto tempo?
– Uns quinze minutos, no máximo.
– Só?
– Não.
– Com a mãe?
– Não. A senhora Mazolle foi às compras e não sabe que a senhorita Arlette saiu.
– Com quem, então?
– Com um senhor que veio procurá-la de carro.
– Alto, loiro?
– Sim.
– E o senhor já o conhecia?
– Durante toda esta semana ele tem vindo ver as senhoras depois do jantar.
– Sabe seu nome?
– Sim. Senhor Fagerault, Antoine Fagerault.
– Muito obrigado.

D'Enneris não ocultou seu desapontamento e sua cólera.

– Não foi à toa que previ este golpe – murmurou ele entre dentes ao sair do edifício. – Ah, ele está tentando nos passar para trás, o espertalhão! E é ele quem está dando as cartas. Mas, que diabo, ele que não toque na menina!

Béchoux objetou:

– Não deve ser esse seu objetivo, uma vez que já veio antes, e que ela parece tê-lo seguido por vontade própria.

– Sim, mas o que é que há por trás disso, qual emboscada? Por que ela não falou dessas visitas? Enfim, o que ele quer, esse Fagerault?

Assim como ele pulara no carro movido por uma inspiração súbita, atravessou a rua correndo, entrou em uma cabine telefônica e pediu o telefone de Régine. Logo se estabeleceu a comunicação:

– A senhora está? É da parte do senhor d'Enneris.

– A senhora acabou de sair, meu senhor – respondeu a criada.

– Só?

– Não, senhor, com a senhorita Arlette, que veio procurá-la.

– E ela ia sair?

– Não, a senhora decidiu de repente. No entanto, a senhorita Arlette tinha telefonado esta manhã.

– Sabe para onde foram as duas?

– Não, senhor.

Assim, no espaço de vinte minutos, aquelas duas mulheres, que já haviam sido raptadas uma vez, desapareciam agora de repente, em condições que pareciam anunciar uma nova armadilha e uma ameaça ainda mais terrível.

O SEGREDO DOS MÉLAMARE

Desta vez Jean d'Enneris se manteve controlado, ao menos na aparência. Sem cólera. Sem pragas. Mas quanta raiva o atormentava! Consultou o relógio.

– Sete horas. Vamos jantar. Existe aqui um pequeno café. Às oito horas entraremos em ação.

– Por que não imediatamente? – perguntou Béchoux.

Eles se acomodaram em um canto, entre alguns trabalhadores e motoristas de táxi, e d'Enneris respondeu ao delegado:

– Por quê? Simplesmente porque fui derrotado. Agi ao acaso, tentando aparar os golpes que entrevi como possíveis. Mas tarde demais, e cada um deles me destruiu um pouco. Preciso me refazer e compreender o que está acontecendo. Por que esse Fagerault tirou de casa Régine e Arlette? Tudo o que se pode imaginar desse homem não é de natureza a me deixar seguro.

– E você acredita que dentro de uma hora…

– Sempre é preciso dar um tempo, Béchoux. Isso nos obriga a pensar.

Pode-se dizer que, na verdade, d'Enneris não tinha mais preocupação alguma, porque comeu com bom apetite e falou até de diversos assuntos.

Mas seus gestos eram nervosos e podia-se adivinhar a tensão que inquietava seu cérebro. No fundo, considerava a situação bastante grave. Lá pelas oito horas, na hora de entrar em ação, disse para Van Houben:

– Peça notícias da condessa pelo telefone.

Após um minuto, Van Houben retornou da cabine que havia no café.

– Nada de novo – disse-me a camareira que está a serviço da condessa.
– A condessa está bem, jantando em seu quarto.

– Vamos, então.

– Para onde? – perguntou Béchoux.

– Não sei. Vamos andar. É preciso agir. Precisamos agir, Béchoux – repetiu d'Enneris com energia. – Quando penso que as duas estão à disposição daquele indivíduo...

Desceram do alto de Montmartre até a Praça de l'Opéra, e d'Enneris descarregou sua fúria em frases curtas.

– Um competidor difícil, esse Antoine Fagerault! E que vai me pagar caro! Enquanto desperdiçávamos nossos esforços, ele agia, ele... e com que energia! O que será que ele quer? Quem será ele? Um amigo do conde, como a carta interceptada leva a crer? Ou bem um inimigo? Um cúmplice ou um rival? E, de qualquer modo, qual é seu objetivo ao tirar as duas moças de casa? Elas já foram raptadas, primeiro uma, depois a outra... O que será que ele procura, levando-as juntas? E por que Arlette ocultou essas visitas de mim?

Ficou calado por um longo tempo. Refletia, batendo às vezes os pés no chão e empurrando os transeuntes que não se abalavam.

De repente Béchoux lhe disse:

– Você sabe onde estamos?

– Sim, na Ponte da Concorde.

– Portanto, não estamos longe da Rua d'Urfé.

– Nem longe da Rua d'Urfé nem da casa de Mélamare, eu sei.

– E então?

D'Enneris segurou o braço do delegado.

– Béchoux, nosso caso é daqueles em que nenhum indício nos guia como de costume, nem impressões digitais, nem pegadas de passos... nada... nada senão a inteligência e, mais ainda, a intuição. Ora, é para esse lado, e por assim dizer sem que eu saiba, que minha intuição me dirige. Foi aqui que tudo aconteceu, para aqui que primeiro Régine foi levada, depois Arlette. E, contra a minha vontade, evoco o vestíbulo ladrilhado, os vinte e cinco degraus da escadaria, o salão...

Eles passavam pela Câmara dos Deputados. Béchoux exclamou:

– Impossível! Vejamos, por que aquele homem repetiria o que o outro já fez? E em condições bem mais perigosas para ele?

– É isso justamente que me perturba, Béchoux! Se ele se arriscou tanto para realizar seus projetos, como esses projetos devem ser ameaçadores!

– Mas acontece que não poderemos entrar assim, sem mais nem menos, naquela casa! – protestou Béchoux.

– Não queime as pestanas por mim, Béchoux. Já examinei a casa por todos os lados, de dia e de noite, sem que o velho François desconfiasse.

– Mas e ele, Antoine Fagerault? Como ele pôde entrar? E principalmente levando para lá as duas moças?

– Com a cumplicidade de François, caramba! – disse d'Enneris, com um risinho.

À medida que se aproximavam, d'Enneris apertava o passo, como se a visão das coisas se tornasse mais nítida, e ele imaginasse com mais ansiedade os acontecimentos que iriam presenciar.

Evitou a Rua d'Urfé, contornou o bloco de casas que rodeavam a mansão e alcançou a rua deserta que ladeava o jardim na face dos fundos. Além do pavilhão abandonado, ficava a pequena porta por onde Arlette fugira. Para grande espanto de Béchoux, d'Enneris tirou uma chave do chaveiro e ela serviu exatamente na fechadura. Abriu a porta. O jardim se estendia diante deles na semiobscuridade, e entrevia-se o edifício da mansão, que não estava iluminado por luz alguma. As persianas deviam estar fechadas.

Da mesma forma que Arlette, mas em sentido contrário, seguiram a linha mais ensombrecida dos arbustos e se encontravam a dez passos da casa quando uma mão brutal agarrou o ombro de d'Enneris.
– Ei, o que é isso? – murmurou ele, imediatamente na defensiva.
– Sou eu – disse uma voz.
– Você quem? Ah, Van Houben... Que diabos você quer?
– Meus diamantes...
– Seus diamantes?
– Tudo me leva a crer que você vai encontrá-los. Ora, quero que me jure...
– Deixe a gente em paz – sussurrou d'Enneris exasperado, empurrando Van Houben, que tropeçou em uma moita. E fique por aí. Você nos atrapalha... Fique de vigia...
– Você jura...
D'Enneris retomou seu caminho com Béchoux. As persianas do salão estavam fechadas. Mesmo assim ele subiu até a varanda, deu uma olhada, escutou e pulou de novo no chão.
– Há alguma luz aí dentro, mas não se vê nem se ouve nada.
– Então não vai dar certo?
– Não seja tolo.
Uma portinhola fazia a comunicação do subsolo com o jardim. Ele desceu alguns degraus, acendeu uma lanterna de bolso, atravessou uma saleta repleta de vasos de flores e desembocou com precaução no vestíbulo, que era iluminado por uma lâmpada. Ninguém. Subiu a escadaria, recomendando silêncio a Béchoux. No alto da escada, à frente, ficava o salão, à direita um toucador que não era mais utilizado, mas que ele conhecia bem, porque já o tinha examinado cuidadosamente.
Entrou e, na escuridão, ladeou a parede que separava os dois aposentos, e se dispôs a abrir, com uma chave falsa, e sem fazer nenhum ruído ou chiado, a portinha engastada em uma das folhas da porta, que normalmente não era usada. Sabia que, do outro lado, uma tapeçaria a disfarçava, e que

essa tapeçaria, coberta por uma tela esburacada em alguns lugares, oferecia orifícios por onde poderiam espiar o que se passava no salão.

Percebiam apenas passos que iam e vinham pelo assoalho. Nenhum ruído de vozes.

D'Enneris apoiou a mão sobre o ombro de Béchoux, como para entrar em contato com ele e lhe transmitir suas impressões. A tapeçaria balançava ligeiramente com a corrente de ar. Esperaram que ela se imobilizasse. Então colaram o rosto contra ela e puderam enxergar.

Na verdade, a cena que testemunharam não lhes pareceu exigir deles uma invasão nem uma batalha. Arlette e Régine, sentadas uma ao lado da outra em um sofá, olhavam para um senhor alto, loiro, que andava de um lado para outro do aposento. Era o homem que eles tinham encontrado no Petit Trianon, o correspondente do senhor de Mélamare.

Nenhum dos três jovens dizia uma palavra sequer. As duas moças não pareciam ansiosas, nem mesmo expressavam desagrado. Pareciam esperar alguém. Estavam à escuta. Os olhos de todos se voltaram de repente para a porta que dava para o vestíbulo, e o próprio Antoine Fagerault chegou a abri-la e parecia atento.

– Não tem nenhum receio? – disse-lhe Régine.

– Nenhum – declarou ele.

E Arlette acrescentou:

– A promessa foi categórica, dada sem que eu precisasse insistir. Mas o senhor está seguro de que o criado vai ouvir a campainha?

– Ele ouviu bem nosso chamado. Além disso, a mulher se reuniu a ele no pátio, e eu deixei as portas abertas.

D'Enneris apertou o ombro de Béchoux. Perguntava-se o que iria acontecer ali, e quem seria a pessoa cuja prometida visita havia atraído Arlette e Régine.

Antoine Fagerault veio se sentar ao lado de Arlette, e eles conversaram em voz baixa, com animação. O rapaz se mostrava solícito e se inclinava para ela um pouco mais do que era necessário, sem que ela reclamasse.

Mas se separam bruscamente. Fagerault se levantou. A campainha do pátio havia tocado duas vezes. E mais duas vezes, após um ligeiro intervalo.

– É o sinal – disse Fagerault, que se precipitou para a porta.

Um minuto se passou. Algumas vozes trocavam palavras. Depois ele voltou, acompanhado de uma mulher, que d'Enneris e Béchoux reconheceram logo: a condessa de Mélamare.

O ombro de Béchoux foi apertado com tal força que ele a custo abafou um suspiro. A aparição da condessa deixara os dois embasbacados. D'Enneris havia previsto tudo, a não ser que ela abandonaria seu refúgio e viria a uma reunião convocada pelo adversário.

Gilberte de Mélamare estava pálida, ofegante. Suas mãos tremiam um pouco. Ela olhava com angústia para o aposento ao qual não voltara depois do drama, e as duas mulheres cujos testemunhos haviam tido pesadas consequências, fazendo-a fugir e deixando seu irmão perdido. Então ela disse ao seu companheiro:

– Eu lhe agradeço por seu devotamento, Antoine. – Aceito por nossa antiga amizade... mas sem esperar muito.

– Tenha confiança, Gilberte – disse ele. – Você viu muito bem que eu já soube como encontrá-la.

– Como?

– Por meio de Arlette Mazolle, que fui ver na casa dela e que conquistei para sua causa. Seguindo minhas instruções, ela interrogou Régine Aubry, a quem Van Houben havia confiado o lugar de seu refúgio. Foi Arlette Mazolle quem, nesta manhã, lhe telefonou em meu nome para marcar o encontro.

Gilberte inclinou a cabeça em sinal de agradecimento e disse:

– Vim furtivamente, Antoine, sem dizer nada ao homem que me protegeu até aqui e a quem eu tinha prometido que não faria nada sem avisá-lo. Você o conhece?

– Jean d'Enneris? Sim, pelo que me disse Arlette Mazolle, que também lamenta ter de agir sem falar com ele. Mas era preciso. Desconfio de todo mundo.

– Não deve desconfiar daquele homem, Antoine.

– Mais que de qualquer outra pessoa. Eu o encontrei há pouco na loja de uma revendedora que procuro há semanas e que tem em mãos os objetos roubados de seu irmão. Ele estava em companhia de Van Houben e do policial Béchoux. Senti o peso de seu olhar hostil e vigilante. Ele quis mesmo me seguir. Com que intenção?

– Ele poderia nos ajudar...

– Jamais! Colaborar com esse aventureiro que saiu não se sabe de onde... com esse *don Juan* equivocado e cauteloso, que tem vocês duas sob seu domínio? Não, não, não. Além do mais, nós dois não temos o mesmo objetivo. Meu objetivo é estabelecer a verdade, o dele é pegar os diamantes.

– Do que é que você sabe?

– Eu adivinho. Seu papel me parece claro. Além do mais, segundo minhas informações particulares, é a opinião que fazem dele Béchoux e Van Houben.

– Opinião falsa – afirmou Arlette.

– Talvez, mas sou obrigado a agir como se fosse verdadeira.

D'Enneris escutava apaixonadamente. A aversão que aquele homem manifestava por ele, também ele experimentava de seu lado, instintiva e violenta. Detestava-o ainda mais porque não podia deixar de reconhecer a franqueza de seu olhar e a sinceridade de seu devotamento. O que teria havido entre Gilberte e ele no passado? Teria amado aquela mulher? E, no presente, de que maneira ele conquistara a simpatia e obtivera a submissão de Arlette?

A condessa de Mélamare se manteve em silêncio por um bom tempo. Por fim, murmurou:

– Que devo fazer?

Ele apontou Arlette e Régine.

– Persuadi-las, já que foram elas que a acusaram. Eu consegui, com minha convicção, despertar suas dúvidas e preparar esta entrevista. Só cabe a você completar a minha obra.

– Como?

– Falando. Há neste caso incompreensível fatos que o tornam ainda mais incompreensível, e sobre os quais, no entanto, a Justiça se apoiou para tomar decisões implacáveis. E também há... aquilo que você sabe.

– Não sei de nada.

– Você sabe certas coisas... quando nada, os motivos pelos quais você e seu irmão, inocentes os dois, não se defenderam.

Ela disse, abalada:

– Toda defesa é inútil.

– Mas eu lhe peço que se defenda, Gilberte! – exclamou ele ardentemente. – Peço-lhe apenas que revele os motivos que a impedem de se defender. Sobre os fatos de hoje, nem uma palavra. Que seja. Mas seu estado de espírito, Gilberte, o fundo de sua alma, todas as coisas sobre as quais Jean d'Enneris em vão a interrogou... todas essas coisas que eu adivinho, e que conheço, Gilberte, desde que vivi junto de você aqui nesta mansão, e o segredo dos Mélamare devia aparecer pouco a pouco diante de mim, todas as coisas que eu poderia explicar, mas que é seu dever dizer, Gilberte, porque só a sua voz poderá convencer Arlette Mazolle e Régine Aubry.

Com os cotovelos apoiados nos joelhos e a cabeça entre as mãos, ela sussurrou:

– Para quê?

– Para quê, Gilberte? Amanhã, eu soube de fonte segura, vão confrontar você com seu irmão. E se os testemunhos das duas moças forem mais hesitantes, menos categóricos, que prova real restará à Justiça?

Ela continuava prostrada. Todos aqueles argumentos deviam lhe parecer insignificantes e vãos. Ela o disse, e acrescentou:

– Não... não... de nada adiantaria... só o silêncio.

– E a morte – disse ele.

Ela ergueu a cabeça.

– A morte?

Ele se inclinou sobre ela e disse gravemente:

— Gilberte, eu me comuniquei com seu irmão. Eu lhe escrevi que salvaria vocês dois, e ele me respondeu.

— Ele lhe respondeu, Antoine? — disse ela, com os olhos brilhantes de emoção.

— Aqui está seu bilhete. Algumas palavras... leia.

Ela viu a escrita de seu irmão, e leu: "Obrigado. Espero até terça-feira à noite. Senão...".

E, meio desfalecida, ela balbuciou:

— Terça-feira... é amanhã.

— Sim, amanhã. Se de tarde, depois da sessão, Adrien não for colocado em liberdade, morrerá em sua cela. Não acha, Gilberte, que devemos fazer uma tentativa para salvá-lo?

Ela estremeceu. Arlette e Régine observaram-na com extrema compaixão. D'Enneris sentia o coração apertado. Inutilmente, tentara provocar nela a derrota da resistência e da obstinação! Agora ela estava vencida. E só então, entre lágrimas, em voz tão baixa que mal se ouvia, ela se explicou:

— Não existe nenhum segredo dos Mélamare... Admitir que existe um segredo é procurar apagar as faltas e os crimes que nossos antepassados e agora meu irmão teriam cometido... Se somos inocentes, os dois, Jules e Alphonse de Mélamare, também foram... Provas, não posso dá-las. Todas as provas estão contra nós, e não há nada a nosso favor... Mas sabemos que não roubamos... Disso sabe-se muito bem, não é? Sei que nem Adrien nem eu raptamos essas jovens aqui... e que não pegamos os diamantes nem escondemos a túnica... Nós sabemos. E sabemos também que o mesmo ocorreu com nosso avô e nosso pai. Toda a família sempre soube que os dois eram inocentes. É uma verdade sagrada que meu pai nos transmitiu. A probidade, a honra, são regras entre os Mélamare... Por mais que busquem em nossa história, não vão encontrar nenhuma fraqueza. Por que eles teriam agido, de repente, sem razão? Eram ricos e honrados. E por que meu irmão e eu iríamos, sem razão, mentir sobre nosso passado... e mentir sobre o passado de todos os nossos?

Ela se calou. Havia se expressado com uma emoção tão pungente e desesperada que imediatamente despertara a piedade das duas moças. Arlette se aproximou dela:

— E então, senhora...? E então...?

— Então — respondeu ela — somos vítimas de não sei qual maldição... Se existe algum segredo, é contra nós. No teatro, nas tragédias, aparecem famílias que o destino persegue há muitas gerações. Há três quartos de século que somos golpeados sem dó. Talvez, no início, Jules de Mélamare tivesse podido e desejado se defender, apesar das acusações terríveis que pesavam contra ele. Infelizmente, louco de indignação e de raiva, morreu de congestão em sua cela. E vinte e cinco anos depois seu filho Alphonse já não oferecia mais a mesma resistência quando acusações diferentes, mas também terríveis, se acumularam contra ele. Perseguido de todos os lados, amedrontado por se sentir impotente, recordando-se do calvário de seu pai, suicidou-se.

Novamente Gilberte de Mélamare se calou. E de novo Arlette, que se emocionara diante dela, lhe disse:

— E então, senhora? Eu lhe imploro, continue.

E a condessa prosseguiu:

— Então nasceu uma lenda entre nós... lenda da maldição que paira sobre esta mansão, onde pai e filho viveram, e onde um e outro tinham a corda no pescoço pelo excesso de provas. Abatida, ela também, em lugar de lutar pela memória de seu marido, a viúva se refugia na casa dos pais, no campo, educa seu filho, que foi nosso pai, incute-lhe horror a Paris, faz o filho jurar jamais reabrir a mansão Mélamare, casa-o na província... e o salva da catástrofe que por sua vez também o teria esmagado.

— Que o teria esmagado? — disse Arlette. — O que você sabe disso?

— Sim — exclamou a condessa exaltada —, sim, teria sido destruído como os outros, porque a morte está aqui, nesta casa. É aqui que o mau gênio dos Mélamare nos cerca e nos aniquila. E foi para nos insurgirmos contra ele, depois da morte de nossos pais, que meu irmão e eu suportamos a lei fatal. Desde os primeiros dias, quando passamos pela porta da Rua d'Urfé, chegando da província cheios de esperança, esquecidos do passado, felizes de entrar na mansão de nossos ancestrais, desde os primeiros dias sentimos a ameaça do perigo que nos espreitava. Meu irmão, principalmente. Eu me casei, me divorciei, fui feliz e infeliz. Mas Adrien logo foi se tornando sombrio. Sua certeza era tão grande e tão dolorosa que ele resolveu não se casar. Cortando a linhagem dos Mélamare, ele conjurou a sorte e interrompeu a série de infortúnios. Seria o último dos Mélamare. Tinha medo!

– Medo de quê? – perguntou Arlette, a voz alterada.

– Do que poderia acontecer, e do que aconteceu, após quinze anos.

– Mas nada poderia fazê-lo prever?

– Não, mas o complô era tramado na sombra. Os inimigos rodeavam em torno de nós. A investida à nossa casa prosseguia e se estreitava. E bruscamente se anunciou o ataque.

– Que ataque?

– O que aconteceu há algumas semanas. Aparentemente um incidente natural, mas na verdade uma advertência terrível. Uma manhã, meu irmão percebeu que certos objetos não estavam mais lá, objetos insignificantes, um cordão de campainha, uma arandela, mas que foram escolhidos entre os mais bonitos, para mostrar que chegava a hora...

Fez uma pausa e acrescentou:

– Que chegava a hora... e a tempestade se aproximava.

Essas palavras foram pronunciadas com uma inquietação, por assim dizer, mística. Seu olhar parecia perdido. Sentia-se na atitude dela tudo aquilo que ela e seu irmão tinham sofrido esperando...

Gilberte continuou ainda mais, e suas palavras revelavam o estado de aflição e de depressão em que a "tempestade", segundo suas palavras, os havia surpreendido:

– Adrien tentou lutar. Colocou um anúncio em que reclamava os objetos desaparecidos. Desejava assim, como dizia, apaziguar o destino. Se a mansão pudesse reaver o que lhe havia sido tomado, se os objetos ocupassem de novo o lugar sagrado que ocupavam havia um século e meio, não haveria mais contra nós aquelas forças misteriosas que perseguiam a linhagem dos Mélamare. Esperança inútil. O que se pode fazer quando se está condenado de antemão? Um dia vocês duas entraram aqui, vocês, que nós nunca tínhamos visto, e nos acusaram de coisas que não compreendíamos... E foi o fim. Não havia como nos defendermos, não é? Encontramo-nos subitamente desarmados e enredados. Pela terceira vez, os Mélamare eram vencidos sem nem mesmo saber por quê. Fomos envolvidos pelas mesmas trevas que envolveram Jules e Alphonse. E o mesmo desenlace poria fim aos nossos sofrimentos... o suicídio, a morte... Essa é a nossa história. Quando se está assim, só restam a resignação e a oração. A revolta é quase um sacrilégio, porque a ordem foi dada. Mas que sofrimento! E que fardo carregamos depois de um século!

Gilberte havia chegado então ao fim de suas estranhas confidências, e logo voltou àquele torpor em que se afundara após o drama. Mas tudo o que sua descrição apresentou de anormal e, de qualquer modo, mórbido era atenuado pela grande compaixão e pelo respeito impostos por seus infortúnios. Antoine Fagerault, que não tinha falado uma só palavra, aproximou-se dela e lhe beijou a mão com veneração. Arlette chorava. Régine, menos sensível, parecia ainda sim emocionada.

FAGERAULT, O SALVADOR

Atrás da tapeçaria, Jean d'Enneris e Béchoux não haviam se mexido. Quando muito, por alguns instantes, os dedos implacáveis de d'Enneris torturavam o delegado. Aproveitando o que se poderia chamar de um entreato, ele disse a seu companheiro:

– O que você acha? As coisas se esclarecem, hein?

O delegado sussurrou:

– À medida que as coisas se esclarecem, tudo se confunde. Ficamos conhecendo o segredo dos Mélamare, mas nada mais sobre o caso, sobre o duplo rapto, sobre os diamantes.

– Justamente. Van Houben não está com sorte. Mas é preciso um pouco de paciência. O senhor Fagerault vai entrar em ação.

De fato, Antoine Fagerault deixava Gilberte e se voltava para as duas jovens. A conclusão do relato era ele mesmo quem devia dar, ao mesmo tempo que ia expor seus planos. Então, perguntou:

– Senhorita Arlette, acredita em tudo o que Gilberte de Mélamare contou, não?

– Sim.

– A senhora também? – indagou a Régine.
– Sim.
– E as duas estão prontas para agir conforme sua convicção?

E prosseguiu:

– Nesse caso, devemos nos conduzir com prudência com o único intuito de ser bem-sucedidos, isto é, libertar a condessa de Mélamare. E isso vocês podem fazer.

– Como? – perguntou Arlette.

– De maneira muito simples: atenuando seus depoimentos, acusando com menos firmeza e misturando com dúvidas afirmações vagas.

– No entanto – objetou Régine – tenho certeza de ter entrado aqui neste salão, e não posso negar isso.

– Não. Mas tem certeza de ter sido levada até aí pelo senhor e a senhora de Mélamare?

– Reconheci o anel dessa senhora.

– Como pode ter certeza? No fundo, a Justiça se apoia apenas em presunções, e a instrução não serviu para reforçar as primeiras acusações. Sabemos que o juiz está inquieto. Se a senhora consentir em dizer, com hesitação: "Este anel se parece bastante com aquele que eu vi. Mas talvez as pérolas não sejam dispostas da mesma maneira". Aí a situação pode mudar completamente.

– Mas – disse Arlette – seria preciso que a condessa de Mélamare assistisse à confrontação.

– Ela vai assistir – disse Antoine Fagerault.

Foi uma reviravolta. Gilberte se levantou, assustada.

– Devo estar lá...? É preciso que eu esteja lá?

– Será preciso – exclamou ele em tom imperioso. – Não se trata agora de desconversar ou de fugir. Seu dever é enfrentar a acusação, defender-se passo a passo, sacudir esse terror que a domina e a resignação absurda que a paralisou, e estimular seu irmão a lutar também. Dormirá aqui na mansão esta noite, retomando seu lugar como se Jean d'Enneris não tivesse cometido a imprudência de fazê-la fugir, e, quando for a hora da confrontação, deverá se apresentar. A vitória é inevitável, mas é preciso desejá-la.

– Mas vão me prender... – disse ela.

– Não!

Essa palavra foi lançada com tanta violência, e a fisionomia de Antoine Fagerault exprimia tal fé, que Gilberte de Mélamare inclinou a cabeça em sinal de obediência.

– Iremos ajudá-la, senhora – disse Arlette, que também se inflamava, e cujas circunstâncias valorizavam a mente lógica e clarividente. – Mas será que nossa boa vontade é suficiente? Uma vez que fomos conduzidas até aqui, uma depois da outra, que reconhecemos o salão e encontramos a túnica de prata naquela biblioteca, será que a Justiça poderá admitir que a senhora de Mélamare e seu irmão não sejam culpados ou, pelo menos, cúmplices de tudo? Morando nesta mansão e não tendo saído naquelas horas, eles devem ter visto, ter assistido às duas cenas.

– Eles não viram nada, não souberam de nada – disse Antoine Fagerault. – É preciso ter em mente a disposição da mansão. No segundo andar, à esquerda, e sobre o jardim, ficam os aposentos do conde e da condessa, onde eles jantam e onde passam a noite... À direita, e sobre o jardim, o quarto dos criados... Embaixo, e no meio, ninguém, e ninguém no pátio e nas áreas comuns. Temos aí então um campo de ação inteiramente livre. Foi nesse espaço que agiram os atores das duas cenas, onde eles as ameaçaram, as duas, e por onde a senhora condessa escapou.

Ela objetou:

– É improvável.

– Improvável, com efeito, mas possível. E o que dá a essa possibilidade um caráter mais aceitável é que o enigma se coloca pela terceira vez nas mesmas condições, e há toda a probabilidade de que Jules de Mélamare, Alphonse de Mélamare e Adrien de Mélamare tenham se perdido porque a mansão dos Mélamare é disposta dessa maneira.

Arlette ergueu ligeiramente os ombros.

– Então, segundo sua hipótese, por três vezes o mesmo complô teria recomeçado com novos malfeitores, que, a cada vez, teriam constatado essa disposição?

– Malfeitores novos, sim, mas malfeitores que conhecem a coisa. Há o segredo dos Mélamare, que é um segredo de medo e de deficiência que se transmite por inúmeras gerações. Mas, por outro lado, há um segredo de cobiça e de rapina, de agressão sem perigo, que se prolonga por uma estirpe oposta.

– Mas por que essa gente viria aqui? Poderiam ter despojado Régine Aubry no automóvel, sem cometer a imprudência de transportá-la até aqui para lhe arrancar o corpete de diamantes.

– Imprudência, não, mas precaução, a fim de que outros fossem acusados, e que eles permanecessem impunes.

– Mas eu não fui roubada, e ninguém poderia me roubar, porque não tenho nada de valor.

– Aquele homem talvez a tenha perseguido por amor.

– E também por esse motivo teria me trazido para cá?

– Sim, para lançar as suspeitas sobre os outros.

– Será um motivo suficiente?

– Não.

– Então?

– Então existe o ódio, a possível rivalidade entre duas linhagens, uma das quais, por razões desconhecidas, se acostumou a oprimir a outra.

– O senhor e a senhora de Mélamare saberiam disso?

– Não. É justamente isso que constitui sua inferioridade e que, fatalmente, provoca sua derrota. Os adversários caminham paralelamente durante um século. Mas uns ignoram os outros, e estes, que sabem, agem e conspiram. Em consequência, os Mélamare são levados a invocar a intervenção de uma espécie de mau gênio que os persegue, enquanto o que há é uma espécie de pessoas que, por tradição, por hábito, sucumbem à tentação, aproveitam-se do campo de ação que lhes é oferecido, realizando aqui sua tarefa, e deixam voluntariamente provas de sua passagem... como essa túnica de prata. Assim, os Mélamare serão acusados. E assim as vítimas, como você, Arlette Mazolle, e como Régine Aubry, reconhecerão o lugar onde foram trancadas.

Arlette não parecia satisfeita. A explicação, se bem que apresentada com habilidade e correspondendo estranhamente à situação exposta por Gilberte, tinha alguma coisa de "forçada", deparava-se com tantos argumentos contrários e deixava à sombra tantos fatos essenciais que não se podia adotá-la sem resistência. Mas, de qualquer modo, era uma explicação e, em muitos aspectos, dava a impressão de não estar longe da verdade.

– Seja – disse ela. – Mas isso que imagina...

– Ele retificou:

– Isso que eu afirmo.

– Isso que afirma, a Justiça não pode admitir ou rejeitar sem que seja avisada. Quem faria isso? Quem terá tanta convicção e sinceridade para fazê-la primeiro ouvir, e depois acreditar?

– Eu – disse ele ousadamente. – E somente eu posso fazer isso. Vou me apresentar amanhã com a senhora de Mélamare, como seu antigo amigo, e até direi, sem nenhuma vergonha, que não seria só amigo se ela tivesse aceitado minha proposta e os sentimentos que eu experimentava por ela. Direi ainda que, após uma longa viagem, realizada em seguida à sua recusa, voltei a Paris no momento em que suas provações começavam, que jurei a mim mesmo estabelecer sua inocência e a de seu irmão, que descobri seu refúgio e a persuadi a me deixar vir com ela. E, quando os magistrados já estiverem abalados por seus depoimentos menos categóricos e pelas dúvidas de Régine Aubry, então reafirmarei as confidências de Gilberte, revelarei o segredo dos Mélamare e estabelecerei as conclusões que deverão ser tiradas. O sucesso é certo. Mas como você pode ver, senhorita Arlette, cabe a você e a Régine Aubry darem o primeiro passo. Se vocês não estiverem francamente convencidas, se não se ativerem apenas para as contradições e insuficiências de minhas explicações, olhem para Gilberte de Mélamare e se perguntem se essa mulher poderia ser uma ladra.

Arlette não hesitou. E declarou:

– Amanhã vou depor de acordo com suas instruções.

– Eu também – concordou Régine.

– Mas tenho muito medo, senhor – disse Arlette –, de que o resultado não seja conforme seu desejo... nosso desejo.

Ele concluiu, tranquilamente:

– Respondo por tudo. Adrien de Mélamare talvez não saia da prisão amanhã à tarde. Mas as coisas vão correr de tal maneira que a Justiça não ousará deter a senhora de Mélamare, e seu irmão vai ter esperança suficiente para viver até a hora de sua libertação.

Gilberte estendeu-lhe a mão novamente.

– Eu lhe agradeço mais uma vez, fui ingrata com você há tempos, Antoine. Não me queira mal.

– Nunca lhe quis mal, Gilberte, e me sinto muito feliz em poder ajudar sua causa. Faço isso pelas lembranças do passado. Faço também porque é justo, e porque...

E falou mais baixo, com um ar sério:

– Há certos atos que realizamos com mais entusiasmo quanto aos olhos de certas pessoas. Parece que esses atos, embora muito naturais, tomam um ar de proeza, e ajudarão a ganhar a estima e o afeto daqueles que nos veem agir.

Essa pequena tirada foi dita com muita simplicidade, sem nenhuma afetação e voltada para Arlette. Mas a localização dos personagens na sala, nesse momento, não permitia que d'Enneris visse o rosto deles, e ele pensou que a declaração se dirigisse a Gilberte de Mélamare.

Por um segundo apenas ele suspeitou da verdade, o que valeu a Béchoux uma dor intolerável entre as duas omoplatas. Jamais o brigadeiro teria pensado que dedos pudessem dar aquela impressão de tenazes. Por felicidade, isso durou pouco.

Antoine Fagerault não insistiu. Chamando o casal de velhos criados, deu-lhes instruções minuciosas sobre o papel que deviam desempenhar no dia seguinte e as respostas que deviam dar. A suspeita de d'Enneris se dissipou.

Eles escutaram ainda por alguns minutos. Mas parecia que a conversa havia terminado. Régine se propunha a levar Arlette.

– Vamos embora – murmurou d'Enneris. – Essa gente não tem mais nada a dizer.

E partiu, irritado com Antoine Fagerault e com Arlette. Atravessou o toucador e o vestíbulo com o desejo de ser ouvido, a fim de poder exprimir seu mau humor.

De qualquer modo, uma vez lá fora, desabafou sobre Van Houben, que pulou na sua frente para reclamar seus diamantes e foi rapidamente afastado com um vigoroso empurrão.

Béchoux não teve melhor sorte quando desejou dar sua opinião.

– Afinal, aquele homem não é antipático.

– Idiota! – rosnou d'Enneris.

– Por que idiota? Não admite uma certa sinceridade nele? Sua hipótese...

– Idiota ao quadrado!

O delegado acabou por ceder.

– Sim, eu sei, houve o nosso encontro na loja do Trianon, a troca de olhares dele com a vendedora e o sumiço desta. Mas não acha que tudo isso pode se esclarecer?

D'Enneris não discutiu. Logo que saíram do jardim, ele se desembaraçou de seus dois parceiros e correu para um táxi. Van Houben, persuadido de que ele levava seus diamantes, tentou retê-lo, mas recebeu um golpe direto que pôs fim ao conflito. Dez minutos mais tarde Jean se estendia em seu sofá.

Era a sua tática nas horas de muita agitação, quando não se sentia mais dono de si e receava cometer alguma besteira. Se tivesse se deixado levar pelo primeiro impulso, teria entrado furtivamente na casa de Arlette Mazolle e, depois de exigir uma explicação da jovem, a teria prevenido contra Antoine Fagerault. Expedição inútil. O essencial era primeiro recordar todas as fases da conversa e formar uma opinião que não fosse imposta por simples impressões de amor-próprio e de um vago ciúme.

"Ele tem todos eles na mão", pensava com irritação, "e creio mesmo que teria me envolvido nisso também, como os outros, se não fosse o incidente do Trianon... E depois, não, não, é muito idiota a sua história...! A Justiça pode se impressionar. Eu não! Isso não tem consistência. Mas então o que será que ele quer? Por que se devota aos Mélamare? E como teve a ousadia de sair da sombra e se colocar na frente do caso, como se não tivesse nada a temer? Vão fazer investigações sobre ele, vão vasculhar sua vida, e mesmo assim ele continua...?"

D'Enneris se enfurecia também com a fato de Antoine Fagerault se insinuar tão diretamente para Arlette e que tivesse conseguido sobre ela, por meios que não conseguia distinguir, uma influência incompreensível que se contrapunha à sua, e que se revelava tão forte que a moça tinha agido sem se comunicar com ele, e mesmo em oposição a ele. Isso tudo era para d'Enneris uma humilhação que o fazia sofrer.

No dia seguinte, à tarde, Béchoux chegou, muito agitado.

– É isso!

– O quê?

– A Justiça aceitou tudo.

– Como você.

– Como eu? Como eu, não... Mas confesso...

– Que foi ludibriado como os outros, e que Fagerault o fez tomar gato por lebre. Conte.

– Tudo se passou na ordem fixada. Acareação. Interrogatório. Por suas reticências e negações, Arlette e Régine desconcertaram o juiz de instrução. E então entraram em cena a condessa e Fagerault, e o programa continuou.

– Com Fagerault como ator.

– Sim, ator irresistível, de uma eloquência! De uma habilidade!

– Passemos adiante. Conheço o indivíduo, não passa de um cabotino de primeira ordem.

– Eu lhe asseguro...
– Conclusão: improcedente? O conde será libertado?
– Amanhã ou depois.
– Que espeto para você, meu pobre Béchoux! Porque você é o responsável pela prisão! A propósito, como Arlette se comportou? Sempre influenciada por Fagerault?
– Eu a ouvi anunciar sua partida à condessa – disse Béchoux.
– Sua partida?
– Sim, ela vai descansar uns tempos na casa de amigos no campo.
– Muito bem – disse Jean, a quem essa notícia agradou. – Até logo mais, Béchoux. Trate de me conseguir informações sobre Antoine Fagerault e sobre a velha do Trianon. E deixe-me dormir.

O sono de d'Enneris, durante uma semana, consistiu em fumar cigarros, e só foi interrompido por Van Houben, que lhe reclamou seus diamantes e o ameaçou de morte; por Régine, que ficou sentada a seu lado em silêncio para não perturbar o sossego do amigo; e por Béchoux, que falou por telefone e lhe leu esta ficha:

"Fagerault: 29 anos, segundo seu passaporte. Nascido em Buenos Aires de pais franceses, falecidos. Há três meses em Paris, onde mora no Hotel Mondial, Rua de Châteaudun. Sem profissão. Algumas relações no mundo das corridas de cavalo e dos automóveis. Nenhuma indicação sobre sua vida íntima nem sobre seu passado."

Mais uma semana e d'Enneris não saiu de casa. Refletia. De vez em quando esfregava as mãos com alegria, ou então andava de um lado para outro com ar preocupado. Por fim, um dia, recebeu novo telefonema.

Era Béchoux, que lhe ligava com voz trêmula:
– Venha logo. Nem um instante a perder. Encontre-me no Café Rochambeau, no alto da Rua La Fayette. É urgente.

A batalha começava, e d'Enneris lá se foi alegremente, como um homem de ideias mais claras e a quem a situação parecia menos confusa.

No Café Rochambeau, sentou-se junto de Béchoux, que, instalado perto da vidraça, vigiava a rua.

– Suponho que você não tenha me chamado por ninharias, hein?

Béchoux, que em casos de sucesso se enchia de importância e se estendia em palavreado pomposo, começou:

– Paralelamente às minhas investigações...

– Chega de palavrório, meu velho. Aos fatos.

– Então, a loja da velha Trianon teimando em permanecer fechada...

– Uma loja não teima. Eu lhe aconselho o estilo telegráfico...

– Então a loja...

– Já disse isso.

– Ah! Você me atormenta.

– Aonde você quer chegar?

– Quero lhe dizer que o contrato de aluguel dessa loja está no nome de uma tal senhorita Laurence Martin.

– Veja que não há necessidade de fazer discurso. E essa Laurence Martin é a nossa vendedora?

– Não. Procurei o tabelião. Laurence Martin não tem mais de 50 anos.

– Então ela subalugou ou colocou alguém em seu lugar?

– Justamente, ela teria colocado a vendedora... que, pelo que acredito, seria sua irmã...

– Onde mora essa aí?

– Impossível saber. O contrato data de doze anos, e o endereço indicado não é mais aquele.

– Como ela paga o aluguel?

– Por intermédio de um senhor muito velho, que manca. Eu estava, no entanto, confuso quando, nesta manhã, as circunstâncias me ajudaram.

– Bom para você. Em resumo...?

– Em resumo, nesta manhã, na chefatura, descobri que uma certa senhora tinha oferecido cinquenta mil francos ao senhor Lecourceux, conselheiro municipal[3], para que ele mudasse as conclusões de um relatório que

---

[3] Cargo que, no Brasil, equivale ao de vereador. O Conselho Municipal é o equivalente à nossa Câmara Municipal ou de Vereadores. (N.T.)

deveria apresentar. O senhor Lecourceux, que desfruta de uma reputação muito ambígua e que, após um escândalo recente, procura se reabilitar, comunicou imediatamente o caso à polícia. A entrega do dinheiro para essa senhora deve ocorrer agora no escritório onde o senhor Lecourceux fica todos os dias à disposição de seus eleitores. Dois agentes já se acham escondidos em um aposento vizinho, de onde poderão constatar a tentativa de corrupção.

– A mulher deu seu nome?

– Ela não deu, mas por acaso há algum tempo o senhor Lecourceux teve relações com ela, fato de que ela não deve mais se lembrar.

– E trata-se de Laurence Martin?

– Laurence Martin.

D'Enneris comemorou.

– Perfeito. O elo de cumplicidade que une Fagerault e a velha Trianon se estende agora até Laurence Martin. Ora, tudo aquilo que comprova a velhacaria do senhor Fagerault me dá prazer. E onde fica o escritório do conselheiro municipal?

– No edifício em frente, no mezanino. Duas janelas apenas. No fundo, uma pequena sala de espera, que dá, assim como o escritório, para um vestíbulo.

– É tudo o que você tem para me dizer?

– Não. Mas o tempo voa. Faltam cinco minutos para as duas, e...

– Fale logo. Não se trata de Arlette?

– Sim.

– Hein? O que é que há?

– Eu a vi ontem, a sua Arlette – disse Béchoux com um tom de ironia na voz.

– Como! Mas você não tinha me dito que ela havia saído de Paris?

– Não saiu.

– E você a encontrou? Tem certeza?

Béchoux não respondeu. Levantou-se bruscamente e se encostou na vidraça.

– Atenção! Aí está Laurence...

De fato, do outro lado da rua uma mulher descia de um táxi e pagava o motorista. Era alta e vestida de uma maneira vulgar. Seu rosto parecia duro e impassível. 50 anos, talvez. Desapareceu no corredor de entrada, cuja porta ficou escancarada.

– É ela, evidentemente – disse Béchoux, que se dispunha a sair.

D'Enneris o deteve pelo braço.

– Por que esse risinho?

– Você está louco! Não estou rindo.

– Sim, a propósito de Arlette.

– Mas é preciso correr ali na frente, que diabo!

– Não vou soltar você enquanto não me responder.

– Pois bem, Arlette esperava alguém em uma rua perto de sua casa.

– Quem?

– Fagerault.

– Está mentindo!

– Eu a vi. Foram embora juntos.

Béchoux conseguiu se soltar e atravessou a rua. Mas não entrou na casa. Estava hesitante.

– Não – disse ele. – Vamos esperar aqui. É preferível seguir Laurence, no caso de ela evitar a armadilha que a espera lá em cima. O que acha?

– Pouco me importa – replicou d'Enneris, cada vez mais excitado. – Trata-se de Arlette. Você subiu para falar com a mãe dela?

– Ora!

– Escute, Béchoux, se não me responder, vou alertar Laurence. Você viu a mãe de Arlette?

– Arlette não saiu de Paris. Sai todos os dias, voltando apenas para jantar.

– Mentira! Diz isso para me aborrecer... Conheço Arlette... Ela seria incapaz...

Passaram-se sete minutos. D'Enneris se calara, mas andava de um lado para outro na calçada, batendo o pé e trombando com os transeuntes.

Béchoux vigiava, de olhos fixos na entrada. E, de repente, viu a mulher que saía. Ela os examinou com um olhar, depois se afastou rapidamente em outra direção, com visível preocupação.

Béchoux foi em seu encalço. Mas, logo que chegou diante de uma escada do metrô, ela se precipitou ali dentro e conseguiu que picotassem seu bilhete no momento em que um trem chegava na estação. Béchoux estava distante. Pensou em telefonar para a estação vizinha, mas achou que era perda de tempo e abandonou a ideia.

– Que diabo! – disse ele, juntando-se a d'Enneris.

– Claro! – zombou este, contente com a decepção de Béchoux. – Você fez exatamente o contrário do que devia fazer.

– O que é que eu devia fazer?

– Entrar na casa do senhor Lecourceux desde o início e se ocupar você mesmo da detenção de Laurence. Em vez disso, ficou me aborrecendo com Arlette, respondendo às minhas perguntas, hesitou e, no fim das contas, é o responsável pelo que aconteceu lá em cima.

– O que aconteceu?

– Vamos ver. Mas, verdade, você tem uma maneira de trabalhar!

Béchoux subiu correndo até o mezanino do conselheiro municipal. Lá só encontrou tudo em desordem e tumulto. Os dois inspetores encarregados de vigiar gritavam e se agitavam como loucos. A zeladora do imóvel havia subido e gritava. Os locatários correram para lá.

No meio de seu escritório, estendido sobre um sofá, o senhor Lecourceux agonizava, com um buraco na testa e o rosto banhado de sangue. Morria sem dizer uma palavra.

Em poucas palavras, os inspetores puseram Béchoux a par do que se passara. Tinham ouvido Laurence Martin renovar suas propostas em relação a certo relatório e contar o dinheiro, e se apressavam para entrar no escritório quando o senhor Lecourceux, muito apressado, cometeu o erro de chamá-los. Adivinhando o perigo, a mulher devia ter empurrado a tranca, pois eles deram com a porta fechada.

Procuraram então cortar-lhe a retirada passando pelo vestíbulo. Mas a segunda porta também estava fechada, se bem que não pudesse ter sido fechada pelo lado de fora, nem à chave nem com a tranca. Eles usaram todas as suas forças. Nesse momento, ouviu-se um tiro.

– A mulher de Martin já estava do lado de fora, no entanto – objetou Béchoux.

– Assim, não foi ela que o matou – replicou um dos inspetores.

– Quem foi, então?

– Não pode ser outro senão um velho mal-encarado que vimos sentado em um banco do vestíbulo. Ele tinha pedido audiência, e o senhor Lecourceux só devia recebê-lo após a visita da mulher.

– Um cúmplice, sem dúvida nenhuma – disse Béchoux. – Mas como ele teria fechado a segunda porta?

– Com um pedaço de ferro enfiado por baixo dela, travando-a. Impossível empurrar totalmente – disse o inspetor.

– E o que aconteceu com ele? Ninguém o viu mais?

– Sim, eu – disse a zeladora. – Quando ouvi o estampido, pulei da portaria. Um velho que descia me disse tranquilamente: "Estão brigando lá em cima. Suba depressa". Provavelmente foi ele mesmo que disparou o tiro. Mas como eu poderia suspeitar? Um velhote alquebrado... que mal conseguia ficar em pé... e que manca.

– Que manca? – exclamou Béchoux. – Tem certeza?

– Absoluta, manca bastante até.

– É o cúmplice de Laurence Martin. Vendo-a em perigo, ele acabou com o senhor Lecourceux.

D'Enneris ouvira tudo, examinando pelo canto dos olhos as pastas de dossiês amontoadas na escrivaninha. Perguntou:

– Você sabe de que relatório se trata e que Laurence Martin desejava obter?

– Não. O senhor Lecourceux ainda não havia esclarecido. Mas tratava-se de conseguir que um dos relatórios dos quais o conselheiro municipal era encarregado fosse modificado em certo sentido.

D'Enneris lia os títulos: "Relatório sobre os matadouros... Relatório sobre o mercado central... Relatório sobre o prolongamento da Rua Vieille--du-Marais... Relatório...".

– E o que você pensa? – disse Béchoux, que ia e vinha, aborrecido com aquilo. – É um negócio sujo, hein?

– Que negócio?

– Esse assassinato, ora...

– Já disse que pouco me importa toda essa história! Que quer que eu faça se esse beberrão foi morto e se você lidou com tudo isso como um cabeçudo?

– No entanto – observou Béchoux –, se Laurence Martin é uma assassina, Fagerault, que você acha que é seu cúmplice...

D'Enneris disse entre os dentes, com ar furioso:

– Fagerault é um assassino também... Fagerault é um bandido... Coitado do Fagerault se algum dia cair nas minhas mãos, e vai cair, tão certo como eu me chamar...

Ele se interrompeu bruscamente, colocou o chapéu e saiu rapidamente.

Um carro o conduziu à Rua Verdrel, casa de Arlette. Eram dez para as três.

– Ah, senhor d'Enneris! – exclamou a senhora Mazolle. – Faz tempo que não o vemos! Arlette vai ficar desolada.

– Ela não está?

– Não. Ela vai passear todos os dias, mais ou menos a esta hora. É uma pena que não a tenha encontrado.

OS MARTIN, INCENDIÁRIOS

Arlette e sua mãe se pareciam muito uma com a outra. Mas, embora desgastado pela idade e pelas preocupações, o rosto da senhora Mazolle, pelo que lhe restava de frescor e de expressão, dava a perceber que ela havia sido ainda mais bonita que a filha. Para criar seus três filhos, e para esquecer o sofrimento que a conduta das duas mais velhas lhe havia causado, ela tinha trabalhado incansavelmente, e ainda trabalhava na restauração de rendas antigas, obra que executava com tanta perfeição que conquistara um pequeno conforto.

D'Enneris entrou no pequeno apartamento, luzindo de limpeza, e disse:

– A senhora acha que ela ainda vai demorar?

– Não sei ao certo. Arlette, depois do que lhe aconteceu, não me conta mais o que faz. Tem sempre medo de que eu me zangue, e todo o barulho que se faz em torno do caso a deixa aflita. No entanto, ela me diz que vai ver uma modelo que está doente, uma jovem que foi recomendada a ela por carta, esta manhã. Sabe o quanto Arlette é boa, e se ocupa com suas companheiras!

– E onde mora essa jovem?

– Não sei seu endereço.

– Pena! Eu ia ficar muito contente de conversar com Arlette!

– Mas é fácil. Ela jogou esta carta no cesto, com seus papéis velhos, e justamente eu ainda não os tinha queimado... Tome... deve ser isto. Sim. Eu me lembro. Cécile Helluin... na Levallois-Perret, nº 14, boulevard de Courcy. Arlette deverá chegar lá às quatro horas.

– Sem dúvida ela vai se encontrar com o senhor Fagerault?

– Que ideia! Arlette não gosta de sair com nenhum senhor. E depois o senhor Fagerault vem sempre aqui.

– Ah, ele vem sempre? – disse d'Enneris, com a voz crispada.

– Quase todas as noites. Eles conversam sobre todos os assuntos que interessam tanto a Arlette, o senhor sabe... a caixa da seguradora. O senhor Fagerault lhe ofereceu grandes somas. E então eles escrevem cifras... estabelecem planos.

– Então ele é rico, o senhor Fagerault?

– Muito rico.

A senhora Mazolle falava com toda a naturalidade. Era claro que sua filha, querendo poupá-la de emoções, não a mantinha ao corrente do caso Mélamare. D'Enneris acrescentou, então:

– Rico e simpático...

– Muito simpático – afirmou a senhora Mazolle. – É muito atencioso com a gente.

– Um casamento... – disse ele, esboçando um sorriso.

– Ah, senhor d'Enneris, não zombe. Arlette não pode pretender...

– Quem sabe!

– Não, não. Em primeiro lugar, Arlette não é gentil com ele sempre. Ela mudou muito, minha pequena Arlette, depois de todos aqueles acontecimentos. E se tornou mais nervosa, um pouco caprichosa. Sabe que ela brigou com Régine Aubry?

– Será possível? – exclamou d'Enneris.

– Sim, e sem motivos, ou pelo menos por motivos que ela não me contou.

Esse desentendimento surpreendeu d'Enneris. O que teria acontecido então?

Trocaram mais algumas palavras. Porém, d'Enneris tinha pressa de agir e, como ainda era cedo demais para se encontrar com Arlette na casa dessa amiga, ele seguiu imediatamente para a residência de Régine Aubry, que saía no momento exato em que ele chegava e que lhe respondeu rapidamente:

– Se eu estou brigada com Arlette? Palavra que não. Mas ela pode estar.

– Afinal, o que aconteceu?

– Uma noite, fui visitá-la. Estava lá Antoine Fagerault, o amigo dos Mélamare. Conversamos. Duas ou três vezes Arlette não se mostrou amável comigo. Então eu me despedi, sem compreender.

– Nada além disso?

– Nada. Apenas, d'Enneris, se tem tanto interesse em Arlette, não se afaste muito dela, e desconfie de Fagerault. Ele me pareceu muito afoito, e Arlette não totalmente indiferente. Adeus, Jean.

Assim, para todos os lados que d'Enneris se voltava, era para tomar conhecimento das relações que uniam Arlette e Fagerault. O despertar foi brusco. Ele de repente se deu conta de que Antoine Fagerault havia envolvido a jovem, e ao mesmo tempo compreendeu que Arlette ocupava na mente dele, d'Enneris, um lugar considerável.

Mas, então, se Fagerault sem dúvida perseguia e amava Arlette, será que ela também o amava? Problema doloroso. Que essa questão simplesmente pudesse ser formulada parecia a d'Enneris a pior das injúrias para Arlette e, para ele, uma humilhação intolerável.

E essa questão surgia na efervescência de um sentimento em que seu orgulho ferido fazia do primeiro golpe o próprio princípio de sua vida.

"Quinze para as quatro", ele se disse, abandonando seu carro a alguma distância do endereço indicado. Ela viria sozinha? Fagerault a acompanharia?

O boulevard de Courcy tinha sido aberto recentemente em Levallois--Perret, fora da aglomeração operária e em meio a terrenos baldios próximos do Sena, onde subsistiam inúmeras pequenas fábricas e estabelecimentos particulares. Entre dois longos muros de tijolos corre uma alameda estreita e lamacenta, na extremidade da qual se vê o nº 14 escrito com piche sobre um muro meio destruído.

Alguns metros de corredor a céu aberto, cheios de pneus velhos e chassis de automóveis descartados, ladeiam uma espécie de garagem de madeira marrom, com uma escada externa que sobe até as águas-furtadas, onde ficam as duas únicas janelas dessa fachada. Embaixo da escada, uma porta com a palavra "Bater".

D'Enneris não bateu. Na verdade, hesitava. A ideia de esperar Arlette ali fora lhe parecia mais lógica. Mas, além disso, o que também o impedia era uma impressão mal definida que se insinuava nele. O endereço lhe parecia tão estranho, e era tão estranho que uma moça doente pudesse morar em um desses sótãos, em cima daquela garagem isolada, que de repente ele teve o pressentimento de alguma cilada armada para Arlette e que lhe lembrava a quadrilha sinistra que agia em torno daquele caso e que multiplicava seus ataques com uma rapidez inconcebível. Logo depois do meio-dia, tentativa de corrupção e assassinato do conselheiro municipal. Duas horas depois, maquinação contra Arlette que a atrai a uma cilada. Como agentes de execução, Laurence Martin, a velha Trianon e o velhote que mancava. Como chefe, Antoine Fagerault.

Tudo aquilo se apresentava a ele de uma maneira tão rigorosa que suas dúvidas logo se dissiparam e, não imaginando que os cúmplices já pudessem estar ali, pois nenhum barulho vinha do interior, concluiu que o mais simples era entrar e se colocar ele mesmo à espreita.

Com todo o cuidado, tentou abrir. A porta estava fechada a chave, o que confirmou sua certeza de que não havia ninguém.

Ousadamente, sem nem mesmo prever os riscos de um possível embate, abriu a fechadura, cujo mecanismo não era muito complicado, empurrou a porta e enfiou a cabeça. Ninguém, com efeito. Ferramentas. Peças soltas. Dezenas de tambores de gasolina empilhados uns sobre os outros.

Em suma, uma oficina de consertos que parecia abandonada e transformada em depósito de gasolina.

Ele empurrou mais um pouco. Seus ombros passaram. Empurrou mais ainda. E subitamente teve a sensação de que um choque formidável o atingiu no peito. Era um braço de metal, fixado em uma divisória e acionado por uma mola, e que, assim que a porta abrisse até certa posição, se soltava e golpeava com uma violência inaudita.

Durante alguns segundos d'Enneris se sentiu sufocado e cambaleou, perdendo assim seus meios de resistência. Foi o suficiente para os adversários, que estavam de tocaia, escondidos atrás de uma pilha de tambores. E, se bem que não fossem mais do que duas mulheres e um velhote, não perderam tempo e lhe amarraram os braços e as pernas, depois o amordaçaram e o puseram sentado em uma bancada de ferro, prendendo-o firmemente.

D'Enneris não se enganara em suas suposições: uma tocaia fora preparada contra Arlette, e foi ele o primeiro a cair na armadilha. Reconheceu a velha do Trianon e Laurence Martin. Quanto ao velhote, não mancava, mas sua perna se curvava um pouco para trás, e ele devia se aproveitar disso para se fingir de coxo quando lhe interessava. Era de fato o assassino do conselheiro municipal.

Os três cúmplices não manifestaram nenhuma excitação. Deviam estar acostumados com aquelas tarefas rudes, e o fato de terem evitado a ofensiva imprevista de d'Enneris devia ser para eles um incidente completamente natural, ao qual não atribuíam a importância de uma vitória.

A velha Trianon se curvou sobre ele e voltou para junto de Laurence Martin. Elas travaram uma conversa, da qual d'Enneris só percebeu algumas palavras.

– Você acha mesmo que é esse o sujeito?

– Sim, é o sujeito que apareceu em minha loja.

– Jean d'Enneris, então – murmurou Laurence Martin –, um sujeito perigoso para nós. É provável que ele estivesse com Béchoux na calçada da Rua La Fayette. Felizmente estávamos vigilantes e eu ouvi seus passos se aproximando! Portanto, com certeza tinha um encontro com a pequena Mazolle!

— O que vai fazer com ele? — sussurrou a vendedora, certa de que d'Enneris não podia ouvir suas palavras.

— Isso nem se discute — disse Laurence, surdamente.

— Hein?

— Diabo! Tanto pior para ele.

As duas mulheres se olhavam. Laurence mostrava uma fisionomia intratável, de uma energia sombria. E acrescentou:

— Também, por que se mete em nossos negócios, esse aí? Primeiro na loja... e depois na Rua La Fayette... e depois aqui... Verdade, ele sabe muita coisa sobre nós e pode nos entregar. Pergunte a papai.

Não era necessário pedir a opinião daquele a quem Laurence Martin chamava de papai. As soluções mais terríveis deviam ser decididas junto àquele velhote de expressão severa, olhos apagados, pele ressecada pela idade, um aliado firme. Ao vê-lo começar seus preparativos ainda para ele inexplicáveis, d'Enneris imaginou que "papai" já o havia condenado à morte, e que o mataria friamente como tinha matado o senhor Lecourceux.

Menos despachada, a vendedora parlamentou em voz baixa. Laurence se impacientou e soltou brutalmente:

— Chega de besteiras! Você é sempre pelas meias medidas. É preciso fazer o necessário. Ou ele ou nós.

— Poderíamos deixá-lo trancado.

— Você é louca. Um sujeito como esse!

— Então...? Como...?

— Como a pequena, que diabo...

Laurence prestou atenção, depois deu uma olhada para fora, por um buraco na divisória de madeira.

— Lá vem ela... na ponta da alameda... E agora cada um faz seu papel, estamos combinados?

Os três se calaram. D'Enneris os via de frente e notou em todos uma semelhança muito grande, que se revelava principalmente pela mesma expressão resoluta. Eram evidentemente ativos no mundo do crime e dos golpes, seres acostumados à iniciativa e à execução. D'Enneris não duvidava nada de que as duas mulheres fossem irmãs e que o velhote fosse o pai delas. Este, sobretudo, assustava o cativo. Ele não dava a impressão de ter uma vida real, mas sim de uma vida automática, fabricada e se revelando por gestos comandados de antemão. A cabeça apresentava ângulos bruscos, e superfícies rígidas. Nada de maldade nem de crueldade. Dir-se-ia um bloco de pedra talhado apenas em esboço.

Contudo, bateram, como mandava a inscrição.

Laurence Martin, que espiava pela porta, abriu e, deixando a visita de fora, assumiu uma entonação feliz e de reconhecimento.

– Senhorita Mazolle, não? Que gentileza a sua em se incomodar! Minha filha está lá em cima, bem doente. Deve subir... ela vai ficar contente em vê-la! A senhorita esteve em um ateliê de costura, há dois anos, de Lucienne Oudart. Não se lembra? Ah, ela não se esqueceu da senhorita!

Arlette respondeu com uma voz que não se ouvia bem. Era clara e fresca, e não traía a menor apreensão.

Laurence Martin saiu para conduzi-la até em cima. A vendedora gritou lá de dentro:

– Quer que eu a acompanhe?

– Não é necessário – disse Laurence, em um tom que significava: "Não preciso de ninguém... sou forte o suficiente para isso".

Ouviu-se o rangido dos degraus sob os passos. Cada um deles aproximava Arlette do perigo, da morte.

D'Enneris, no entanto, ainda não sentia um receio muito grande. O fato de que não o tinham matado imediatamente indicava que a execução do plano criminoso exigia alguns detalhes, e toda demora trazia um pouco de esperança.

Após um momento, os degraus rangeram de novo e Laurence Martin entrou.

– Está feito – anunciou ela. – E facilmente. Ela virou os olhos quase imediatamente.

– Tanto melhor – disse a vendedora. – Tanto melhor se ela não acordar logo. Assim, só perceberá a coisa no último momento.

D'Enneris estremeceu. Nenhuma frase podia anunciar de uma maneira mais formal o desenlace desejado pelos cúmplices e os prováveis sofrimentos. E seu pressentimento foi imediatamente confirmado por um acesso de revolta que de repente sacudiu a velha Trianon.

– Por que isso, enfim? Não era preciso fazê-la sofrer, pobrezinha! Por que não acabar logo com ela? O senhor também não acha, papai?

Tranquilamente, Laurence mostrou um pedaço de corda.

– Fácil. É só passar isso em seu pescoço... a menos que você prefira cortar sua garganta – propôs ela, oferecendo-lhe um pequeno punhal. – Não me encarrego dessas coisas, porque isso não se faz a sangue-frio.

A velha Trianon não deu mais palpite algum, e na hora em que saíram não disseram mais nada. Mas, sem demora, e já que, lá em cima, Arlette estava reduzida à impotência, "papai", como elas o tratavam entre si, continuava seus afazeres, agindo de tal maneira que a terrível ameaça tomava corpo, e a realidade se impunha a d'Enneris, inexorável e monstruosa.

Em volta da oficina, o velho tinha colocado duas fileiras de tambores de gasolina, todos cheios, como se percebia por seu esforço. Ele destampou vários deles e espalhou gasolina pelas paredes e pelo chão de madeira, a não ser, em um espaço de três metros, o trecho que levava até a porta. Reservara assim uma passagem que conduzia ao meio da oficina, local em que empilhara outros tambores.

Em um desses tambores ele enfiou a longa corda trazida por Laurence Martin, que estendeu até a porta. O velhote desfiou a outra extremidade, tirou do bolso uma caixa de fósforos e pôs fogo na mecha. Depois que o fogo pegou bem, ele se levantou.

Tudo isso fora feito metodicamente por um homem que, ao longo de sua carreira, devia ter feito muitas tarefas do mesmo gênero, que lhe davam prazer não tanto pelo ato em si, mas pela perfeição com que o desempenhava. De certo modo, era "banal". Nada fora deixado ao acaso, e aos três cúmplices só restava ir embora calmamente.

Foi o que fizeram, depois de terem virado a chave na fechadura atrás deles. Haviam armado outra vez o mecanismo. Inevitavelmente, o diabólico trabalho se completava. O barracão se incendiaria como um monte de madeira seca, e Arlette desapareceria sem que nunca mais fosse possível identificar nenhum vestígio calcinado que pudesse ser encontrado entre as cinzas. Alguém poderia supor que o incêndio tivesse sido voluntário?

A mecha queimava. D'Enneris calculou que a catástrofe ocorreria em dez ou quinze minutos.

Desde o primeiro instante ele havia começado o cansativo trabalho de tentar sua libertação, contraindo, distendendo e expandindo seus músculos. Mas os nós tinham sido dados com tanta força que todo esforço de sua parte os apertava ainda mais, enquanto os laços penetravam em sua carne. Apesar de toda a sua extraordinária habilidade, apesar de todos os exercícios desse gênero que ele havia realizado ao prevenir circunstâncias semelhantes, já não imaginava poder se livrar a tempo. A não ser por um milagre impossível, a explosão aconteceria.

Era um suplício. Desesperado por ter-se deixado agarrar estupidamente e não poder fazer nada, desesperado por saber que a infeliz Arlette estava à beira do abismo, enfurecia-se também por não compreender o que significava toda aquela aventura. A ligação entre Antoine Fagerault e os três cúmplices fazia parte, por tantos motivos formais, daquelas verdades que não se pode discutir. Mas por que Fagerault, chefe da quadrilha, e da qual o velhote não era mais do que o agente de execução, por que Fagerault teria ordenado aquele abominável assassinato? Seus planos, que pareciam até aqui estabelecidos para incluir a conquista amorosa da moça, teriam sido alterados a ponto de comportar a morte dela?

A mecha queimava. A pequena serpente de fogo caminhava em direção ao alvo, seguindo a linha impiedosa que nada poderia desviar. Lá em cima, Arlette, desacordada, impotente. Ela só despertaria com as primeiras chamas.

"Sete minutos ainda, seis minutos...", pensava d'Enneris com pavor.

Se ao menos tivesse conseguido afrouxar um pouco seus laços. Mas sua mordaça caiu. Poderia gritar. Poderia chamar Arlette e lhe confessar toda a doçura de sentimentos que nutria por ela, tudo o que havia de fresco e de espontâneo nesse amor que ele tinha ignorado e de que só tivera consciência profunda naquele instante em que tudo desmoronava em torno dele. Mas de que adiantavam palavras? De que adiantava, se ela dormia, informá-la da horrível ameaça e da realidade que se aproximava?

Não, não queria perder a confiança. Milagres acontecem às vezes. Quantas vezes já, perseguido por todos os lados, inerte, condenado sem remissão, não conseguira escapar por algum prodigioso acaso? Ainda faltavam três minutos. Quem sabe as medidas tomadas pelo velhote não se revelariam insuficientes? Quem sabe a mecha não se apagaria ao subir toda a altura do tambor de metal do qual se aproximava?

Com todas as suas forças, ele retesou os músculos contra os nós que o torturavam. Afinal, ela estava lá, seu último recurso, no vigor sobre-humano dos seus braços e do tórax. Será que as cordas não se romperiam? Não poderia o milagre vir dele mesmo, d'Enneris? Veio de outro lado, e de um lado que Jean com certeza não podia prever. Passos precipitados fizeram-se ouvir de repente na alameda, e uma voz gritou:

– Arlette! Arlette!

A entonação era a de alguém que chega para salvar, e que procura encorajar anunciando a libertação imediata. A porta foi sacudida. Como não podiam abri-la, batiam nela com os pés e os punhos. Uma placa de madeira caiu, deixando espaço por onde passar a mão na altura da fechadura.

D'Enneris, vendo um braço que se agitava, gritou:

– É inútil! Empurre com força que a fechadura cede! Rápido!

De fato, a fechadura cedeu. Metade da porta caiu. Alguém irrompeu na oficina. Era Antoine Fagerault.

De relance, ele viu o perigo e saltou até o tambor, que afastou com o pé na hora exata em que a parte inflamada atacava a borda superior. Esmagou a chama e depois, por prudência, afastou os outros tambores que estavam na frente.

Jean d'Enneris logo redobrou seus esforços para se libertar. Não queria ficar devendo sua libertação a Fagerault, nem que aquele homem se inclinasse e fizesse o gesto de cortar os nós. Ainda assim, quando Fagerault veio ao seu encontro e murmurou "Ah, é você?", Jean, tendo se livrado das cordas, não pôde deixar de dizer:

– Eu lhe agradeço. Mais alguns segundos e estaríamos perdidos.

– E Arlette? – perguntou o outro.

– Lá em cima!

– Viva?

– Sim.

Os dois se precipitaram para subir a escada externa.

– Arlette! Arlette! Estou aqui – gritou Fagerault. – Não há mais nada a temer.

A porta não resistiu mais que a de baixo, e os dois entraram em uma água-furtada mínima, onde a jovem estava amarrada e amordaçada sobre uma cama de armar.

Eles a libertaram rapidamente. Ela olhou para os dois com um ar perdido, e Fagerault explicou:

– Nós fomos advertidos, tanto eu quanto ele, cada um por seu lado, e nos encontramos aqui... tarde demais para agarrá-los, os miseráveis. Não lhe fizeram mal? Não ficou com muito medo?

Manteve assim em silêncio a horrível tentativa de assassinato e a operação de salvamento que acabara de realizar.

Arlette não respondeu. Fechou os olhos. Suas mãos tremiam.

Após um instante, eles a ouviram murmurar:

– Se tive medo... mais uma vez um ataque desses... Quem, no entanto, poderia me desejar isso...?

– Atraíram você para esta garagem?

– Um a mulher... só vi uma mulher. Ela me fez subir esses degraus até este cômodo e me jogou...

E ela disse, mostrando todo o terror que, apesar da presença dos dois homens, ainda a torturava:

– A mesma mulher da primeira vez... Ah, disso estou certa, a mesma mulher... reconheci a maneira de agir, seu abraço, sua voz... era a mulher do carro... a mulher... a mulher...

Ela se calou, subitamente esgotada e querendo repousar. Os dois homens a deixaram um instante e, no alto da escada, diante da água-furtada, encontraram-se diante do outro.

Jean nunca antes havia execrado tanto seu rival. A ideia de que Fagerault havia salvado os dois, Arlette e ele, o exasperava. Sentiu a mais violenta humilhação. Antoine Fagerault era senhor da situação, que parecia estar a seu favor.

– Ela está mais calma do que eu pensava – disse Fagerault em voz baixa. – Não tem consciência do perigo que correu, e é preciso que continue a ignorar.

Falava como se já estivesse se relacionando diretamente com d'Enneris, e como se admitisse que cada um soubesse tudo o que o outro sabia. Nenhuma afetação de superioridade que pudesse lembrar o serviço prestado. Conservava seu ar de serenidade habitual e uma fisionomia meio sorridente e simpática. Nada indicava, de sua parte, que entre eles houvesse luta ou rivalidade.

Mas Jean, que mal continha sua cólera, começou imediatamente o duelo, como se estivesse com um adversário declarado, e colocou pesadamente a mão no ombro do outro:

– Vamos conversar? Já que temos essa oportunidade.

– Sim, mas em voz baixa. O barulho de uma discussão pode ser nocivo para ela, e na verdade dá para perceber que o que está procurando é discussão.

– Não, nada de discussão – declarou d'Enneris, cuja atitude agressiva contradizia diametralmente as suas palavras. – O que procuro, o que desejo, é um esclarecimento.

– A propósito de quê?

– A propósito de sua conduta.

– Minha conduta é clara. Não tenho nada a esconder e, se concordo em responder às suas perguntas, é porque minha afeição por Arlette me faz lembrar sua amizade por ela. Pode perguntar.

– Sim. Primeiro, o que o senhor fazia na loja Trianon quando eu o encontrei lá?

– O senhor já sabe.

– Eu sei? Como?

– Por mim.

– Pelo senhor? É a primeira vez que converso com o senhor.

– Mas não é a primeira vez que me ouve falar.

– Como assim?

– Na mansão Mélamare, na tarde do dia em que me seguiu com Béchoux. Durante as confissões de Gilberte de Mélamare, e durante minhas explicações, os senhores estavam, os dois, atrás da tapeçaria. Esta se mexeu quando os senhores entraram no cômodo vizinho.

D'Enneris ficou um pouco aturdido. Nada escapava então àquele indivíduo? Continuou em tom mais áspero:

– Então o senhor quer dizer que seu objetivo é o mesmo que o meu?

– Os fatos provam isso. Assim como o senhor, eu me esforço para descobrir quem roubou os diamantes e quem são os perseguidores de meus amigos Mélamare e Arlette Mazolle.

– E entre eles se encontra essa vendedora da loja?

– Sim.

– Mas por quê, entre ela e o senhor, aquela troca de olhares que a colocou em alerta contra mim?

– É o senhor que está interpretando aquele olhar como um alerta. Na verdade, eu a observava.

– Talvez. Mas logo depois ela fechou a loja e desapareceu.

– Porque deve ter desconfiado de todos nós.

– E, segundo sua opinião, trata-se de uma cúmplice?

– Sim.

– Nesse caso, ela não ignora o assassinato do conselheiro municipal Lecourceux?

Fagerault sobressaltou-se. Parecia que ele realmente não sabia sobre o assassinato

– Hein? O senhor Lecourceux foi morto?

– Faz mais ou menos três horas.

– Três horas? O senhor Lecourceux está morto? Mas que horror!

– O senhor o conhecia bem, não?

– Só de nome. Mas eu sabia que nossos inimigos iriam atrás dele, que eles queriam comprar seus serviços, mas não tinha certeza das intenções deles.

– Tem certeza de que foram eles mesmos que o mataram?

– Toda certeza.

– Eles tinham então tanto dinheiro assim para oferecer cinquenta mil?

– Claro! Com a venda de um único diamante!

– Os nomes deles?

– Não sei.

– Pois vou lhe dar algumas informações, ao menos em parte – disse d'Enneris, observando-o. – Há a irmã da vendedora, uma tal senhora Laurence Martin, que alugou a loja... Há um homem muito velho, que manca.

– Isso mesmo! Isso mesmo! – disse rapidamente Antoine Fagerault. – E foram esses três que o senhor encontrou aqui, não é, e que atacaram o senhor?

– Sim.

Fagerault se tornou sombrio. Murmurou:

– Que fatalidade! Fui prevenido tarde demais... senão, teria agarrado todos eles.

– A Justiça vai se encarregar. O delegado Béchoux agora conhece os três. Eles não podem escapar.

– Tanto melhor! – disse Fagerault. – São três bandidos terríveis e, se não os prendermos, um dia ou outro acabarão eliminando Arlette.

Tudo o que ele dizia parecia a expressão profunda da verdade. Não hesitava em responder, e nunca havia a menor contradição entre os acontecimentos e a maneira tão natural como eles os explicava.

"Que malandro!", pensava d'Enneris, que se obstinava em acusá-lo e, no entanto, ficara perturbado com tanta lógica e tanta franqueza.

No fundo, ele havia suposto que toda aquela nova aventura de Arlette tinha sido combinada entre Antoine Fagerault e seus três cúmplices a fim de que Fagerault aparecesse como salvador aos olhos de Arlette. Mas, nesse caso, por que aquela encenação? Por que a jovem não tinha testemunhado aquilo? E ainda por que, na frente dela, Fagerault tinha tido a delicadeza de não se vangloriar de sua intervenção?

À queima-roupa, ele perguntou a Fagerault:

– O senhor a ama?

– Infinitamente – respondeu o outro com fervor.

– E Arlette, será que o ama?

– Creio que sim.

– E o que o faz acreditar nisso?

Fagerault sorriu docemente, sem presunção, e respondeu:

– Porque ela me deu a melhor prova de seu amor.

– Qual?

– Ficamos noivos.

– Hein? Vocês estão noivos?

Foi preciso um prodigioso esforço de vontade da parte de d'Enneris para pronunciar essas palavras com uma calma aparente. O golpe foi profundo. Seus punhos se crisparam.

– Sim – afirmou Fagerault –, desde ontem à noite.

– A senhora Mazolle, com quem estive ainda há pouco, não disse nada.

– Ela ainda não sabe. Arlette ainda não quer lhe contar.

– Seria, no entanto, uma notícia bem agradável.

– Sim, mas Arlette deseja prepará-la pouco a pouco.

– De modo que tudo se passou sem o conhecimento da mãe?

– Sim.

D'Enneris se pôs a rir nervosamente.

– E a senhora Mazolle, que acreditava que a filha fosse incapaz de marcar encontro com um homem! Que desilusão!

Antoine Fagerault pronunciou com seriedade:

– Nossos encontros se dão em um ambiente e diante de pessoas amigas, pessoas que a senhora Mazolle ficaria bem satisfeita se as conhecesse.

– Ah! E quem são e onde então?

– Na mansão dos Mélamare, na presença de Gilberte e seu irmão.

D'Enneris não se convencia. O conde de Mélamare protegia os amores do senhor Fagerault com Arlette, Arlette, filha natural, modelo e irmã de duas modelos que tinham ido pelo caminho errado! Em virtude do que aquela indulgência incrível?

– Então eles estão a par do que se passa?

– Sim.

– E aprovam?

– Inteiramente.

– Minhas felicitações. Por tais apoios a seu favor. De resto, o conde lhe deve muito, e o senhor há muito tempo é amigo da casa.

– Há outra razão – diz Fagerault –, que renovou nossa intimidade.

– Posso saber?

– Claro. O senhor e a senhora de Mélamare, como o senhor deve compreender, conservaram desse drama em que mergulharam uma lembrança horrível. A maldição que pesa sobre a família deles há séculos, e que se exerce sobre eles porque moram na casa, levou-os a uma decisão irrevogável.
– Qual? Eles não querem mais morar lá?
– Eles não querem mais nem mesmo conservar a casa. É ela que atrai sobre eles os seus infortúnios. Vão vendê-la.
– Será possível?
– O negócio já está quase feito.
– Encontraram um comprador?
– Sim.
– Quem, então?
– Eu.
– O senhor?
– Sim. Arlette e eu temos a intenção de morar lá.

O NOIVADO DE ARLETTE

Dir-se-ia que Antoine Fagerault seria para Jean motivo de constantes surpresas. Suas relações com Arlette, seu casamento inesperado, a simpatia que despertava nos Mélamare, a inconcebível compra da casa, tantos lances teatrais, anunciados aliás como os acontecimentos mais normais da vida cotidiana.

Assim, durante os dias em que d'Enneris se mantivera voluntariamente à parte para julgar com mais isenção de ânimo a gravidade de uma situação, o adversário tinha se aproveitado magnificamente da trégua acordada e avançava além da linha de batalha. Mas seria verdadeiramente um adversário, e a rivalidade amorosa entre os dois implicaria realmente a perspectiva de uma batalha? D'Enneris era obrigado a confessar a si mesmo que não possuía nenhuma prova certa, e que se guiava apenas por sua intuição.

– Quando se dará a assinatura do contrato de venda? – perguntou bem-humorado. – E quando será o casamento?

– De três a quatro semanas.

D'Enneris teria ficado muito feliz em apertar a garganta daquele intruso que se instalava na vida como bem lhe parecia, e contrariamente à vontade dele, d'Enneris. Mas então ele avistou Arlette, que se levantara e parecia corajosa, ainda que pálida e febril.

– Vamos embora – disse ela. – Não quero mais ficar aqui. E não quero nem saber o que aconteceu aqui, nem que mamãe saiba. Mais tarde eu lhe contarei.

– Mais tarde, sim – disse d'Enneris. – Mas, enquanto isso, é preciso que nós a defendamos melhor do que antes contra os ataques. E para isso só há um meio, que é entrarmos em acordo nós dois, o senhor Fagerault e eu. Se nos entendermos, Arlette ficará fora de perigo.

– Certamente – exclamou Fagerault –, e esteja certo de que, de minha parte, não estou muito longe da verdade.

– Ambos descobriremos toda a verdade. Eu lhe direi o que sei e o senhor não me esconderá nada do que sabe.

– Nada.

D'Enneris estendeu-lhe a mão, em um gesto espontâneo, ao qual o outro respondeu com um gesto não menos caloroso.

– Eu o julguei mal, senhor – disse d'Enneris. – O homem que escolheu Arlette não pode ser indigno dela.

A aliança foi concluída. Nunca antes d'Enneris havia apertado a mão de alguém com tanto ódio recalcado e tamanho desejo de vingança, e jamais, no entanto, adversário algum aceitara suas propostas com mais cordialidade e franqueza.

Desceram os três juntos até a garagem. Arlette, muito cansada para caminhar, pediu a Fagerault que chamasse um carro. Em seguida, aproveitando que estava só com Jean d'Enneris, disse-lhe:

– Sinto remorsos em relação a você, meu amigo. Fiz muitas coisas sem preveni-lo, e coisas que lhe devem ter sido desagradáveis.

– Por que desagradáveis, Arlette? Você contribuiu para salvar o senhor de Mélamare e sua irmã... não era essa igualmente minha intenção? Por outro lado, Antoine Fagerault lhe fez a corte, e você aceitou noivar com ele. Está em seu direito.

Ela se calou. A noite caía, e d'Enneris mal podia ver sua fisionomia. Perguntou:

– Está feliz, não?

Arlette afirmou:

– Seria de fato feliz se você continuasse meu amigo.

– Não é amizade o que sinto por você, Arlette.

Como ela não respondesse, ele insistiu:

– Você compreende muito bem o que quero dizer, não é, Arlette?

– Compreendo – murmurou ela –, mas não acredito.

E, como d'Enneris se aproximou, ela rapidamente continuou:

– Não, não, não falemos mais disso.

– Como você é desconcertante, Arlette! Eu lhe disse isso desde os primeiros dias. E ainda experimento, perto de você, aquela sensação de que você tem uma coisa escondida, um segredo... um segredo que se refere a todos os que tornam este caso misterioso.

– Não tenho segredo nenhum – afirmou ela.

– Sim, sim, e haverei de livrar você deles, do mesmo jeito que a livrarei de seus inimigos. Já os conheço todos, vejo como eles agem... e os mantenho sob vigilância... um deles sobretudo, Arlette, o mais perigoso e o mais dissimulado...

Estava a ponto de acusar Fagerault, e sentia, na penumbra, que Arlette esperava suas palavras. Mas não disse nada, porque não tinha provas.

– O desenlace está próximo – disse ele. – Mas não devo precipitar as coisas. Siga seu caminho, Arlette. Só lhe peço que prometa me rever sempre que for necessário, e que me faça ser recebido, assim como você é, na casa do senhor e senhora Mélamare.

– Eu prometo...

Fagerault voltou.

– Uma palavra ainda – disse Jean. – Você ainda é minha amiga?

– Do fundo do meu coração.

– Então, até outro dia, Arlette.

Um carro estacionava ao lado da alameda. Fagerault e d'Enneris se apertaram as mãos novamente, e Arlette partiu com seu noivo.

– Vá, meu velho – disse Jean consigo mesmo, enquanto eles se afastavam –, vá. Já topei com gente muito mais difícil que você, e juro por Deus que não vai se casar com a mulher que amo, que não vai morar na mansão Mélamare, e ainda vai devolver o corpete de diamantes.

Dez minutos depois Béchoux surpreendeu d'Enneris todo pensativo, no mesmo lugar. O delegado vinha correndo, esfalfado, em companhia de dois auxiliares.

– Tenho um palpite. Da Rua La Fayette, Laurence Martin deve ter vindo para estas paragens, onde ela aluga, há algum tempo, uma espécie de garagem – exclamou Béchoux.

– Você é prodigioso, Béchoux – disse d'Enneris.

– Por quê?

– Porque acaba sempre chegando ao fim. Muito tarde, é verdade... mas, enfim, chega.

– O que você quer dizer?

– Nada. A não ser que deve seguir sem trégua essas pessoas, Béchoux. É por meio delas que seremos informados sobre seu chefe.

– Então eles têm um chefe?

– Sim, Béchoux, e que conta com uma arma terrível.

– Qual?

– Uma fachada de homem honesto.

– Antoine Fagerault? Então você ainda suspeita daquele tipo?

– Faço mais do que suspeitar, Béchoux.

– Pois bem, eu, o delegado Béchoux, aqui presente, lhe declaro que você se está metendo os pés pelas mãos. Nunca me engano em relação à fisionomia das pessoas.

– Mesmo em relação à minha? – brincou d'Enneris, deixando-o.

O assassinato do conselheiro municipal Lecourceux e as circunstâncias em que havia acontecido mexeram com a opinião pública. Quando se soube, pelas revelações de Béchoux, que o caso tinha relação com o roubo do corpete de diamantes, que a loja da vendedora de objetos usados que se procurava tinha como locatária a senhorita Laurence Martin, e que essa Laurence Martin era a mesma a quem o senhor Lecourceux tinha concedido uma audiência, todo o interesse, momentaneamente adormecido, despertou.

Não se falava senão de Laurence Martin e do velho que mancava, cúmplice e assassino. Os motivos do crime permaneceram sem explicação, porque foi impossível saber exatamente de qual relatório Laurence Martin queria alterar a redação pela oferta de dinheiro. Mas tudo aquilo parecia tão bem combinado, e por pessoas muito enfronhadas na prática do crime, que não se duvidou de que se tratasse dos mesmos ladrões que tinham tramado o caso do corpete de diamantes, e dos mesmos que tinham maquinado o complô misterioso contra o senhor de Mélamare e sua irmã. Laurence, o velhote e a velha Trianon, os três cúmplices temíveis, tornaram-se célebres em poucos dias. A prisão deles parecia iminente.

D'Enneris encontrava-se com Arlette diariamente na mansão dos Mélamare. Gilberte não se esquecia da audácia com que Jean a fizera fugir e do papel que ele tinha desempenhado. Ele recebeu, portanto, por recomendação de Arlette, a melhor acolhida por parte dela e do conde.

O irmão e a irmã tinham retomado a confiança na vida, embora sua resolução de deixar Paris e vender a mansão fosse definitiva. Ambos experimentavam a mesma necessidade de partir e consideravam como um dever fazer, ao destino hostil, o sacrifício de vender a velha mansão familiar.

Mas o que ainda restava de suas longas inquietações se dissipava em contato com a jovem e seu amigo Fagerault. Arlette trazia para aquela mansão, por assim dizer abandonada há mais de um século, a graça, a juventude, a luz de seus cabelos loiros, o equilíbrio de sua natureza e o impulso de seu entusiasmo. Ela soube conquistar, sem perceber e muito naturalmente, a estima de Gilberte e do conde, e d'Enneris compreendeu então por que, com o desejo de torná-la feliz, eles acreditavam fazer uma boa ação ao apoiar as pretensões de Fagerault, a quem consideravam seu benfeitor.

Quanto Fagerault, sempre alegre, de bom humor, expansivo e descuidado, exercia sobre todos eles uma profunda influência, que Arlette parecia sentir mais ainda do que os outros. Era verdadeiramente o tipo de homem que não tinha segundas intenções e que se entrega à vida com toda a confiança e toda a segurança.

Com que atenção ansiosa d'Enneris estudava a moça! Havia entre eles, apesar de sua conversa afetuosa diante da garagem de Levallois, certo constrangimento contra o qual Jean não procurava lutar. E ele continuava acreditando que Arlette conservava esse desconforto mesmo quando estava longe dele, e que ela não se deixava levar pela felicidade natural de uma mulher que ama e cujo casamento se aproxima.

Não parecia que ela visse o futuro desse ponto de vista, e que a casa dos Mélamare, em que ela iria morar, viesse a ser sua casa de esposa. Quando ela falava com Fagerault – e esse era sempre o assunto de suas conversas –, parecia que falavam da sede social de uma obra filantrópica. E realmente a casa Mélamare, segundo os projetos de Arlette, se tornaria o Lar da Caixa Seguradora de suas companheiras. Ali se reuniria o conselho de administração. Ali as protegidas de Arlette teriam sua sala de leitura. O sonho da Arlette manequim da Maison Chernitz se realizava. Mas nunca se falava dos sonhos da jovem Arlette.

Fagerault era o primeiro a rir.

– Vou me casar com uma obra social – dizia. – Não sou um marido, mas um patrocinador.

Um patrocinador! Essa palavra dominava todos os pensamentos de Jean d'Enneris em suas reflexões em torno de Antoine Fagerault. Projetos tão amplos, a compra da mansão da sociedade comercial, instalações, revelavam uma grande fortuna. De onde vinha essa fortuna? As informações, recolhidas pelo delegado Béchoux junto ao consulado e à embaixada argentina, confirmavam que efetivamente uma família Fagerault havia se instalado em Buenos Aires uns vinte anos antes, e que o pai e a mãe tinham morrido após dez anos. Mas essas pessoas não possuíam nada, e o consulado tivera que repatriar o filho deles, Antoine, um simples adolescente na época. Como é que esse Antoine, que os próprios Mélamare tinham conhecido ainda muito pobre, havia de repente enriquecido? Como... senão pelo roubo recente dos maravilhosos diamantes de Van Houben?

À tarde e à noite, os dois homens não se largavam, por assim dizer. Todos os dias eles tomavam chá com os Mélamare. Animados, alegres e descontraídos, eles prodigalizavam demonstrações de amizade e simpatia, tratando-se com familiaridade e não economizando elogios um ao outro. Mas com que olhar sagaz d'Enneris examinava seu rival!

E como sentia, às vezes, o olhar agudo de Fagerault, que o perscrutava quase até o fundo da alma!

Entre eles, porém, nunca mais falaram do caso. Nem uma palavra sobre aquela colaboração que d'Enneris havia pedido e que teria sido recusada se o outro a tivesse oferecido. Na realidade, era um duelo implacável, com assaltos invisíveis, respostas sonsas de ambas as partes, um ódio malcontido.

Certa manhã d'Enneris avistou, nas redondezas do Square Laborde, de braços dados, Fagerault e Van Houben, que pareciam muito bem. Seguiram pela Rua Laborde e pararam diante de uma loja fechada. Com o dedo, Van Houben mostrou o letreiro: "Agência Barnett e Associados". Afastaram-se conversando animadamente.

"É isso mesmo", disse Jean para si mesmo, "os dois trapaceiros estão de conluio. Van Houben me traiu e contou a Fagerault que d'Enneris não é outro senão o ex-Barnett. Ora, um tipo da força de Fagerault não pode deixar de identificar sem demora Barnett como Arsène Lupin. Nesse caso, logo vai me denunciar. Quem será que vai derrubar o outro, Lupin ou Fagerault?"

Todavia Gilberte ultimava seus preparativos para a partida. Na quinta-feira 28 de abril (e estávamos no dia 15), os Mélamare deviam abandonar sua casa. O senhor de Mélamare assinaria o contrato de venda, e Antoine lhe daria um cheque. Arlette preveniria sua mãe, os proclamas seriam publicados e o casamento se realizaria em meados de maio.

Assim, passaram-se mais alguns dias. Tal era a execração que sentiam um pelo outro, d'Enneris e Fagerault, que mal conseguiam mostrar cordialidade entre si. Apesar disso, os dois homens por instantes se permitiam assumir a postura de adversários. Fagerault teve a audácia de levar Van Houben ao chá dos Mélamare, e Van Houben tratou Jean com muita frieza. Falou dos diamantes e contou que Fagerault estava na pista do ladrão, com tanta veemência e ameaça malcontida na voz que d'Enneris se perguntou se a ideia de Fagerault não seria lançar suspeita sobre ele, d'Enneris.

A batalha não podia demorar muito. D'Enneris, cujos pensamentos e suspeitas se apoiavam em uma realidade já mais concreta, tinha até marcado a data e a hora do início da contenda. Mas o outro não passaria à sua frente? Aconteceu então um fato dramático, que lhe pareceu de mau agouro.

Ele havia subornado o porteiro do Hotel Mondial Palace, onde morava Fagerault, a fim de obter informações minuciosas sobre o rapaz, e sabia, por intermédio do porteiro, e de Béchoux também, que estava sempre atento, que Fagerault nunca recebia cartas nem visitas. Certa manhã, contudo, d'Enneris foi advertido de que Fagerault recebera um telefonema, muito curto, de uma mulher. Marcaram um encontro às onze e meia da noite seguinte no Champ-de-Mars, "mesmo lugar da última vez".

À noite, desde as onze horas, Jean d'Enneris ficou rondando pelos jardins em volta da Torre Eiffel. Era uma noite sem luar e sem estrelas. Procurou por muito tempo e não conseguiu avistar Fagerault. Foi só por volta da meia-noite que viu em um banco um vulto humano, que lhe parecia ser o de uma mulher, curvada de tal maneira que a cabeça tocava nos joelhos. Aproximando-se, disse:

– Ei! – exclamou Jean –, não se deve dormir assim ao relento... pode chover.

A mulher não disse nada. Ele se inclinou, com a lanterna na mão, viu uma cabeça sem chapéu, cabelos grisalhos e uma manta que esbarrava na areia. Ergueu a cabeça dela, que logo caiu outra vez, mas teve tempo de reconhecer aquela fisionomia pálida e macerada, da vendedora da loja, irmã de Laurence Martin.

O local não se achava muito distante das alamedas centrais, no meio dos jardins, e não longe da Escola Militar. Nesse momento, na avenida, passavam dois policiais de bicicleta cuja atenção ele chamou com o silvo de um apito, para que viessem em socorro.

"É uma besteira o que estou fazendo", pensou ele. "Para que perder tempo com isso?"

Quando os policiais se aproximaram, ele lhes explicou sua descoberta. Examinaram a mulher e encontraram o cabo de um punhal enterrado profundamente no ombro dela. A velha devia estar morta havia uns trinta ou quarenta minutos. A areia em torno dela estava remexida, como se a vítima tivesse se debatido.

– Precisamos de um automóvel – observou um dos policiais – para levá-la ao distrito.

Jean se ofereceu.

– Levem o corpo até a avenida. Eu volto com um carro: o ponto de táxi é bem perto.

E começou a correr. Mas no ponto de táxi, em lugar de subir no carro, resolveu avisar o motorista e enviá-lo até os policiais. Então afastou-se rapidamente para o lado oposto.

"Não convém eu permanecer por aqui", pensou. "Iriam perguntar meu nome, e eu seria chamado a prestar depoimento. Mas que diabo! Por que haveriam de matar a pobre vendedora? Antoine Fagerault, com quem ela tinha marcado encontro? Laurence Martin, que desejava se livrar da irmã? Havia um ponto cada vez mais evidente: havia desentendimento entre os cúmplices. Com essa hipótese, tudo se explica, a conduta de Fagerault, seus planos, tudo..."

No dia seguinte os jornais do meio-dia noticiaram em poucas linhas o assassinato de uma velha senhora nos jardins do Champ-de-Mars. Mas, à noite, dupla reviravolta! A vítima não era outra senão a vendedora da loja da Rua Saint-Denis, ou seja, a cúmplice de Laurence Martin e de seu pai... E em um de seus bolsos haviam recolhido um pedaço de papel que trazia seu nome escrito de maneira grosseira e visivelmente apressada: "Ars. Lupin". Além disso, os policiais ciclistas contaram a história do homem encontrado junto ao cadáver e que prudentemente havia se esquivado. Nenhuma dúvida: Arsène Lupin se achava envolvido no caso do corpete de diamantes.

Era absurdo, e o público não deixou de reagir. Arsène Lupin nunca matava, sem dúvida fora um miserável que escrevera o nome de Lupin. Mas que aviso para Jean d'Enneris! A ameaça era direta: "Abandone a partida. Deixe-me livre. Senão eu o denuncio, pois tenho em mãos todas as provas que podem levar de d'Enneris a Barnett e de Barnett a Lupin".

Melhor do que isso, não bastava prevenir o delegado Béchoux...? Béchoux, que, sempre inquieto, só com muita impaciência se submetia à autoridade de d'Enneris, e que aproveitaria avidamente a ocasião de uma vingança tão magnífica?

Ora, foi justamente o que aconteceu. Sob o pretexto de prosseguir na busca aos diamantes, Antoine Fagerault, assim como tinha feito com Van Houben, levou Béchoux à casa dos Mélamare, e a atitude desajeitada e compassiva do delegado com d'Enneris não deixava margem à menor dúvida: para Béchoux, d'Enneris subitamente se tornara Lupin. Somente Lupin poderia realizar os feitos que Béchoux tinha visto Barnett executar, e somente Lupin poderia ludibriar Béchoux como este fora ludibriado; Béchoux devia então, sem demora, e de acordo com seus chefes da chefatura, preparar a detenção de Jean d'Enneris.

Assim, a cada dia a situação piorava. Fagerault, que não pudera disfarçar a sua preocupação após a aventura do Champ-de-Mars, recuperava seu bom humor habitual, assumindo diante de Jean d'Enneris um ar mal disfarçado de arrogância. Sentia-se triunfante, como um homem que não precisa mais do que levantar o dedo para conquistar a vitória.

No sábado anterior à data marcada para o contrato de venda, ele segurou d'Enneris em um canto e lhe disse:

– E então, o que é que você pensa de tudo isso?

– De tudo isso?

– Sim, dessa intervenção de Lupin?

– Bah! Sou completamente cético em relação a isso.

– De qualquer modo, existem acusações contra ele, e parece que estão atrás dele, e que sua captura é questão de horas.

– Quem pode saber? O personagem é esperto.

– Por mais esperto que seja, não sei como ele poderá se safar desta.

– Confesso que não estou preocupado com ele.

– Nem eu – observou Fagerault. – Falo como espectador desinteressado. Em seu lugar...

– Em seu lugar...?

– Eu fugiria para o estrangeiro.

– Não é o gênero de Lupin.

– Então eu aceitaria uma negociação.

D'Enneris se espantou:

– Com quem? E a propósito de quê?

– Com o possuidor dos diamantes.

– Ora essa – disse d'Enneris, rindo –, em vista do que se sabe de Lupin, acredito que as bases da negociação seriam fáceis de determinar.

– E que bases?

– Tudo para mim. Nada para você.

Fagerault se sobressaltou, acreditando que aquela era uma resposta direta.

– Hein? O que está dizendo?

– Eu empresto de Lupin um tipo de resposta de acordo com seus hábitos. Tudo para Lupin, nada para os outros.

Fagerault riu com muito gosto, por sua vez, e sua fisionomia era tão leal que d'Enneris se irritou. Nada era para ele tão desagradável como a expressão de "bom menino" que Antoine exibia, e que atraía para o jovem todas as simpatias. E a anomalia aparecia desta vez no mesmo momento em que Fagerault se acreditava tão forte a ponto de provocar. D'Enneris julgou oportuno entrar na luta sem demora e, passando subitamente do tom de brincadeira para o tom de hostilidade, exclamou:

– Nada de muita conversa entre nós. Ou, pelo menos, o mínimo. Três ou quatro palavras bastam. Eu amo Arlette. Você também. Se teimar em se casar com ela, arraso você.

Antoine pareceu estupefato diante daquela rudeza. No entanto, replicou sem se desconcertar:

– Amo Arlette e vou me casar com ela.

– Então, insiste nisso.

– Insisto. Não há razão alguma para eu receber ordens que você não tem nenhum direito de me dar.

– Que seja. Vamos escolher o dia do encontro. A assinatura do contrato de venda será quarta-feira próxima, não é?

– Sim, às seis e meia da tarde.

– Estarei lá.

– A que pretexto?

– O senhor de Mélamare e sua irmã partem no dia seguinte. Vou apresentar minhas despedidas.

– Certamente será bem-vindo.

– Então até quarta-feira.

– Até quarta-feira.

Ao sair desse encontro, d'Enneris precisou encarar os fatos. Restavam quatro dias. Não queria correr risco algum nesse período. Fez então um verdadeiro mergulho nas trevas. Não foi visto em parte alguma. Dois inspetores da Sûreté não saíam dos arredores de sua residência. Outros vigiavam a casa de Arlette Mazolle, outros a de Régine Aubry, outros ainda a rua que ladeava o jardim dos Mélamare. Nenhum sinal de Jean d'Enneris.

Mas durante esses quatro dias, escondido em um dos refúgios bem equipados que possuía em Paris, ou bem camuflado como só ele sabia fazer, com que febre se ocupava da batalha final, concentrando toda a sua atenção nos últimos pontos que ainda permaneciam um tanto obscuros naquele caso! Jamais sentira tão vivamente a necessidade de estar preparado, e a obrigação, em face da adversidade, de prevenir as piores eventualidades.

Duas expedições noturnas bastaram para achar o que ainda lhe faltava. Seu espírito discernia quase nitidamente toda a cadeia de fatos e toda a psicologia do caso. Conhecia o que chamavam de segredo dos Mélamare, e do qual os Mélamare tinham vislumbrado apenas um lado. Conhecia a razão misteriosa que dava tanta força aos inimigos do conde e de sua irmã. E via claramente o papel desempenhado por Antoine Fagerault.

– Aí está! – exclamou ele na quarta-feira, ao despertar. – Mas é bom saber que ele também deve estar se dizendo "Aí está!", e que posso me deparar com perigos que nem imagino. Aconteça o que acontecer!

Almoçou cedo, depois foi passear.

Refletia ainda. Atravessando o Sena, comprou um jornal da manhã que acabava de sair, folheou-o maquinalmente, e logo foi atraído por um título sensacional, no alto de uma coluna. Parou e leu pausadamente:

O círculo se estreita em torno de Arsène Lupin, e o caso evolui em uma nova direção, como os últimos acontecimentos deixam prever. Sabe-se que um homem de boa aparência, vestido com elegância e ainda bem jovem, procurava havia algumas semanas informações sobre uma vendedora de quinquilharias que ele tentava encontrar. Essa mulher não era outra senão a vendedora da Rua Saint-Denis. Ora, a descrição que se obteve desse homem corresponde exatamente à descrição do indivíduo que os policiais ciclistas surpreenderam no Champ-de-Mars, perto do cadáver, e que fugiu sem deixar sinal de vida. Na chefatura de polícia, estão persuadidos de que se trata de Arsène Lupin. (Ver a página 3.)

E na página 3, à última hora, a seguinte nota, assinada por "Um leitor assíduo":

> *O homem elegante que a polícia persegue se chama, segundo certas informações, d'Enneris. Será o visconde Jean d'Enneris, aquele navegador que, segundo disse, deu a volta ao mundo em barco a motor e foi recebido festivamente em sua chegada, no ano passado? Por outro lado, somos levados a crer que o célebre Jim Barnett, da Agência Barnett e Associados, não é outro senão Arsène Lupin. Se é assim, devemos esperar que a trindade Lupin-Barnett-d'Enneris não escape à perseguição, e que em breve fiquemos livres desse indivíduo insuportável. Para isso, devemos ter confiança no delegado Béchoux.*

D'Enneris dobrou raivosamente o jornal. Não duvidava que as conclusões do "leitor assíduo" proviessem de Antoine Fagerault, que tinha todos os cordéis da aventura e dirigia o delegado Béchoux.

– Vejamos! – rosnou ele. – Você ainda vai me pagar... e um preço alto!

Sentia-se mal em meio a todo aquele movimento e já como perseguido. Os transeuntes tinham o ar de policiais disfarçados. Não seria melhor fugir, como o aconselhou Fagerault?

Hesitou, imaginando as três maneiras de fuga que tinha à sua disposição: um avião, um carro e, bem perto, no Sena, uma velha barca.

"Não, seria uma besteira", disse consigo. "Um tipo como eu não fraqueja na hora da ação. O que me aborrece é que serei obrigado, de qualquer modo, a deixar meu belo nome d'Enneris. Pena! Era alegre e bem francês. Além do mais, estou perdido como cavalheiro-navegante!"

Inconscientemente, contudo, obedecendo à sua natureza, inspecionou a rua contígua ao jardim. Ninguém. Nenhum policial. Contornou a casa. Rua d'Urfé, nada de suspeito tampouco. E pensou que Béchoux e Fagerault ou bem não acreditavam que ele fosse capaz de afrontar o perigo – e esse devia ser o desejo secreto de Fagerault – ou bem tinham tomado todas as suas medidas no interior da casa.

Essa ideia o incomodou. Não queria que o acusassem de covardia. Tateou os bolsos para ter certeza de que não tinha deixado ali, por descuido, um revólver ou uma faca, utensílios que ele qualificava de nefastos. Então se dirigiu para a porta de entrada.

Uma hesitação suprema: essa fachada comum, severa e sombria, parecia um muro de prisão. Mas a visão sorridente, um pouco ingênua, um pouco triste, de Arlette lhe atravessou a mente. Poderia abandonar a moça sem defendê-la?

Gracejou consigo mesmo:

"Não, Lupin, não tente se enganar. Para defender Arlette você não tem necessidade de entrar na ratoeira e arriscar sua preciosa liberdade. Não. Você só tem que fazer chegar ao conde uma pequena carta em que lhe revelará o segredo dos Mélamare e o papel que Antoine Fagerault desempenha nisso. Quatro linhas são suficientes. Nem uma a mais. Mas, na realidade, nada vai impedir você de tocar essa campainha, pela simples razão de que isso o diverte. É o perigo que você ama. É a luta que você procura. É o corpo a corpo com Fagerault que você quer. Você talvez possa sucumbir nessa tarefa – pois eles estão prontos para receber você, os patifes! –, mas, antes de tudo, o que o apaixona é tentar a bela aventura e afrontar o inimigo em seu terreno, sem armas, só, e com um sorriso no rosto..."

Tocou a campainha.

O SOCO

– Bom dia, François – disse ele, entrando no pátio com um passo rápido.
– Bom dia, senhor – disse o velho criado. – O senhor nos abandonou nestes dias...
– Meu Deus, sim – disse Jean, que frequentemente brincava com François, e que notou que o velhote ainda não estava prevenido contra ele. – Meu Deus, sim! Assuntos de família... herança de um tio da província... um bom milhão.
– Meus cumprimentos, senhor.
– Bah! Ainda não me decidi a aceitá-lo...
– Será possível, senhor?
– Meu Deus, sim, é um milhão de dívidas.
Jean ficou contente com essa inocente brincadeira, que lhe provava sua inteira liberdade de espírito. Mas, naquele momento, percebeu uma cortina de tule que voltava rapidamente a seu lugar natural em uma das janelas da frente. Mesmo assim, pôde reconhecer o rosto do delegado Béchoux, que vigiava no andar térreo, em um cômodo usado como sala de espera.

— Estou vendo — disse Jean — que o delegado está em seu posto. Sempre à procura dos diamantes, hein?

— Sempre, senhor. Ouvi dizer que haverá novidade daqui a pouco. O delegado colocou três homens.

Jean se alegrou. Três grandalhões escolhidos entre os mais fortes... um corpo de guarda... que sorte! Tais precauções tornavam as suas eficazes. Sem representantes da autoridade, seu plano falharia.

Subiu os seis degraus da entrada da frente, depois a escada. No salão se encontravam reunidos o conde e sua irmã, Arlette, Fagerault e Van Houben, que também tinha vindo para dizer adeus. A atmosfera era agradável, e todos pareciam se entender tão bem que d'Enneris ainda hesitou ligeiramente, pensando que dois ou três minutos seriam suficientes para deixar tudo ali em polvorosa.

Gilberte de Mélamare o acolheu com afabilidade. O conde lhe estendeu a mão alegremente. Arlette, que conversava à parte, veio a seu encontro feliz por vê-lo. Decididamente, nenhuma daquelas três pessoas sabia das notícias de última hora, não tinham lido o jornal que ele trazia no bolso, e não poderiam imaginar a acusação lançada contra ele e o duelo que se preparava.

Em compensação, o aperto de mão de Van Houben foi glacial. Evidentemente, esse sabia. Quanto a Fagerault, não se mexeu, continuando a folhear um álbum em um canto. Havia tanta afetação e desrespeito em sua atitude que Jean d'Enneris precipitou as coisas exclamando:

— O senhor Fagerault está absorto em sua felicidade e não me vê... ou não quer me ver...

Fagerault esboçou um gesto vago, como se tivesse aceitado que o duelo não fosse se iniciar naquele momento. Mas Jean não entendeu assim, e nada poderia impedir que ele pronunciasse as palavras premeditadas e realizasse os gestos desejados. Como os grandes capitães, avaliava que sempre é preciso tomar para si a vantagem da surpresa e, assim, se lançar contra os planos do adversário. A ofensiva é metade da vitória.

Depois de dar explicações sobre sua ausência e se informar sobre a partida do conde e de sua irmã, agarrou as duas mãos de Arlette e lhe disse:

– E você, minha querida Arlette, está feliz? Mas inteiramente feliz, sem nenhuma preocupação, sem arrependimentos? Feliz como merece ser?

Aquela familiaridade, anormal nesse momento, produziu um efeito de estupor. Todos compreenderam que d'Enneris tinha agido com uma intenção determinada, que não tinha nada de pacífico.

Fagerault se levantou, pálido, tocado pela rapidez do ataque, pois devia ter preparado tudo para ele mesmo atacar, e no momento que ele escolhesse.

O conde e Gilberte, chocados, esboçaram um gesto de surpresa. Van Houben proferiu uma imprecação. Os três olharam para Arlette antes de intervir. Mas a própria jovem não parecia ofendida. Seus olhos sorridentes se dirigiram para Jean, ela o olhava como a um amigo a quem se concedem privilégios particulares.

– Estou feliz – disse ela. – Todos os meus projetos vão ser executados, e graças a isso muitas de minhas companheiras poderão se casar de acordo com sua vontade.

Mas d'Enneris não tinha aberto as hostilidades só para se contentar com essa tranquila afirmação. Insistiu:

– Não se trata de suas companheiras, pequena Arlette, mas de você, e de seu direito pessoal de se casar de acordo com seu coração. É esse o caso, Arlette?

Ela ficou corada e não respondeu.

O conde exclamou:

– Estou realmente espantado com essa pergunta. Essas coisas só dizem respeito a Antoine e a sua noiva.

– É inconcebível... – começou Van Houben.

– É ainda mais inconcebível – interrompeu d'Enneris, com calma – que nossa querida Arlette se sacrifique aos seus ideais generosos e se case sem amor. Pois é exatamente esta a situação, e é preciso que saiba, senhor de

Mélamare, enquanto ainda é tempo: Arlette não ama Antoine Fagerault. Ela não tem por ele nem mesmo uma simples simpatia, não é, Arlette?

Arlette baixou a cabeça, sem protestar. O conde, de braços cruzados, sufocava de indignação. Como é que d'Enneris, tão correto e reservado, dava prova de tamanha grosseria?

Mas Antoine Fagerault havia se aproximado de Jean d'Enneris. Tinha perdido sua expressão despreocupada e de bom menino e, por um efeito singular, sob a ação da cólera, e talvez também de um receio confuso, assumia uma imprevista expressão de maldade.

– Em que você está se metendo?

– Naquilo que me interessa.

– Os sentimentos de Arlette em relação a mim lhe interessam?

– Certamente, pois a felicidade dela está em jogo.

– E, segundo você, ela não me ama?

– Claro que não!

– E qual é a sua intenção...?

– Impedir esse casamento.

Antoine se sobressaltou.

– Ah, você se permite...! Pois bem, já que é assim, eu lhe respondo! E sem rodeios! Você já vai ver...

Resolutamente, arrancou o jornal que saía do bolso de d'Enneris, desdobrou-o sob os olhos do conde e exclamou:

– Veja, caro amigo, leia aqui, e você vai ver quem é esse senhor. Leia sobretudo o artigo da página 3... a acusação é clara...

E, levado por um ímpeto de fúria que contrastava com sua indolência habitual, ele mesmo leu, de uma vez, as reflexões implacáveis do "leitor assíduo".

O conde e sua irmã ouviram, confusos. Arlette fixou os olhos desolados em Jean d'Enneris.

– Não precisa ler, Antoine. Por que não a recita de cor, uma vez que foi você mesmo quem escreveu esta bela acusação?

Fagerault concluiu, em um tom declamatório, com o dedo apontado para Jean:

– "... *somos levados a crer que o célebre Jim Barnett, da Agência Barnett e Associados, não era outro senão o próprio Arsène Lupin. Se é assim, podemos esperar que a trindade Lupin-Barnett-d'Enneris não escape à perseguição e que em breve fiquemos livres desse indivíduo insuportável. Para isso, devemos ter confiança no delegado Béchoux*".

Fez-se um silêncio solene. A acusação causava horror ao conde e a Gilberte. Jean sorria.

– Chame então seu delegado Béchoux. Porque é preciso que saiba, senhor de Mélamare, que o senhor Antoine introduziu aqui Béchoux e seus algozes unicamente por minha causa. Anunciei minha visita, e todos sabem que sou fiel à minha palavra. Entre então, meu velho Béchoux. Sabemos que está escondido atrás da tapeçaria, assim como o Polônio[4] de Shakespeare. O que é indigno de um policial de seu valor.

A tapeçaria foi afastada. Béchoux entrou, com o rosto impassível, mas com o aspecto de um homem que só usaria toda a sua força no momento em que julgasse oportuno.

Van Houben, que exalava impaciência, precipitou-se para ele.

– Aceite o desafio, Béchoux! Prenda-o. É o ladrão dos diamantes. É preciso agarrá-lo. Afinal, você é o mestre aqui!

O senhor de Mélamare se interpôs.

– Um instante. Desejo que tudo se passe em minha casa com calma e dentro da ordem.

E, dirigindo-se a d'Enneris:

– Quem é, afinal, o senhor? Não lhe peço que responda às acusações desse artigo, mas que me diga lealmente se ainda devo considerá-lo como o visconde Jean d'Enneris...

– Ou como o ladrão Arsène Lupin – interrompeu d'Enneris, rindo.

---

[4] Personagem da tragédia *Hamlet*, Polônio, ou Apolônio, é conhecido principalmente por pronunciar uma frase imortalizada na literatura: *"To thine own self be true"* ("Seja fiel a ti mesmo"). (N.T.)

Virou-se para a jovem.

– Sente-se, querida Arlette. Você está toda trêmula. Não é necessário. Sente-se. E, aconteça o que acontecer, esteja certa de que tudo vai terminar bem, pois é para você que eu trabalho.

E, voltando-se para o conde, disse-lhe:

– Não vou responder à sua pergunta, senhor de Mélamare, pela razão de que não se trata de saber quem eu sou, mas de saber quem é este Antoine Fagerault aqui presente.

O conde deteve Fagerault, que queria se lançar sobre d'Enneris, mandou Van Houben se calar, pois ele não parava de falar de seus diamantes, e Jean continuou:

– Se vim aqui por minha livre e espontânea vontade, trazendo no bolso o jornal cujo artigo já tinha lido, e sabendo que Béchoux, estimulado por Fagerault, iria me esperar com um mandado, é porque o perigo que estava correndo me parecia muito menor do que o perigo que corre *nossa querida Arlette*... e que correm igualmente o senhor e a senhora de Mélamare. Quem eu sou é uma questão entre mim e Béchoux. Vamos esclarecer isso à parte. Quem é Antoine Fagerault, este é o problema urgente, que temos de resolver.

Dessa vez o senhor de Mélamare não conseguiu conter Fagerault, que, todo ofegante, vociferava:

– Quem sou eu, agora? Responda, então! Ouse responder! Quem sou eu, segundo você?

Jean falou, como se começasse uma enumeração com a ponta de cada um dos dedos:

– Você é o ladrão do corpete...

– Está mentindo! – interrompeu Antoine. – Eu, o ladrão do corpete! Jean continuou com calma:

– Você é o homem que raptou Régine Aubry e Arlette Mazolle.

– Mentira!

– O homem que roubou os objetos do salão.

– Mentira!
– O cúmplice da vendedora que morreu no jardim do Champ-de-Mars.
– Mentira!
– O cúmplice de Laurence Martin e de seu pai.
– Mentira!
– Enfim, é o herdeiro dessa raça implacável que há três quartos de século persegue a família de Mélamare.

Antoine tremia de raiva. A cada acusação, elevava o tom.

– Mentira! Mentira! Mentira!

E, assim que d'Enneris terminou, ele se plantou na sua frente, com um gesto ameaçador, e balbuciou em voz ácida:

– Você está mentindo...! Fala coisas ao acaso... porque você ama Arlette e morre de ciúme... Seu ódio contra mim vem disso, e também porque compreendi seu jogo desde o princípio. Você está com medo. Sim, está com medo porque percebe que eu tenho provas... todas as provas possíveis... (batia no peito, na altura do bolso interno)... todas as provas de que Barnett e d'Enneris são Arsène Lupin... Sim, Arsène Lupin...! Arsène Lupin!

Fora de si, como que exasperado pelo nome Arsène Lupin, gritava cada vez mais alto, e sua mão se crispava no ombro de d'Enneris.

Este, sem recuar nem um passo, lhe disse suavemente:

– Está ferindo nossos ouvidos, Antoine. Não pode continuar assim.

Fez uma pausa. O outro não cessava de berrar.

– Tanto pior para você – disse Jean. – Vou avisá-lo pela última vez: baixe o tom. Caso contrário, vai lhe acontecer alguma coisa muito desagradável. Continua teimando? Vamos, foi você que quis, e volto a dizer que já perdi a paciência. Atenção...!

Estavam tão perto um do outro que seus troncos quase se tocavam. Entre eles, o punho de d'Enneris cortou o ar com a velocidade de um projétil, batendo na ponta do queixo de Fagerault.

Fagerault vacilou, dobrou as pernas como um animal abatido, tocou o joelho e caiu estendido no chão.

No tumulto, entre clamores e revolta, o conde e Van Houben tentavam segurar Jean, enquanto Gilberte e Arlette procuravam cuidar de Antoine. Estendendo os braços, d'Enneris afastou os quatro e, mantendo-os a distância, interpelou Béchoux com voz premente:

– Ajude-me, Béchoux. Vamos, meu velho companheiro de batalha, venha me dar uma mão. Você, que já me viu diversas vezes em ação, bem sabe que nunca entro em luta cegamente, e que devo ter sérios motivos para agir. Minha causa é a sua, neste caso. Venha me ajudar, Béchoux.

Impassível, o delegado havia assistido à cena como um árbitro que julga os golpes e só toma sua decisão com conhecimento de causa. Os acontecimentos se apresentavam de tal maneira que ele não podia deixar, de um modo ou de outro, de se beneficiar, e que o duelo de morte que acabava de se desenrolar lhe entregava os dois combatentes de pés e mãos atados. Assim, os apelos ao velho companheiro de batalha o deixaram completamente insensível. Béchoux estava realmente decidido a agir com isenção de ânimo.

Disse a d'Enneris:

– Você sabe que tenho três homens aí embaixo?

– Sei, e conto com você para utilizá-los amplamente contra esse bando de aventureiros.

– E contra você talvez – riu Béchoux.

– Se o teu coração diz. Hoje você está com todos os trunfos na mão. Cumpra seu trabalho sem piedade. É seu direito e seu dever.

Béchoux então disse, como se obedecesse a seus reflexos, ainda que se submetesse à vontade de d'Enneris:

– Senhor conde de Mélamare, no interesse da Justiça, peço-lhe paciência. Se as acusações proferidas contra Antoine Fagerault forem falsas, não tardaremos em saber. Em todo caso, assumo toda a responsabilidade sobre o que acontecer.

Era deixar o campo livre para d'Enneris. Ele logo aproveitou para cumprir o ato mais desconcertante que se podia conceber. Tirou do bolso um flaconete cheio de um líquido escuro e verteu a metade em uma compressa já preparada. Um odor de clorofórmio se desprendeu. D'Enneris pressionou aquela compressa sobre o rosto de Antoine Fagerault e a amarrou com um cordão passado em torno da cabeça.

A coisa era tão extravagante, em oposição tão forte ao que o conde podia permitir, que foi necessário um novo esforço de Béchoux para apaziguar o senhor de Mélamare e sua irmã. Arlette permanecia atônita, não sabendo o que pensar e com lágrimas nos olhos. Van Houben estava furioso.

No entanto, Béchoux, que não podia mais recuar, insistiu:

— Senhor conde, eu conheço o indivíduo, e lhe afirmo que devemos esperar.

E Jean, levantando-se, aproximou-se do senhor de Mélamare:

— Sinceramente eu me desculpo, senhor, e lhe peço que acredite: de minha parte não há nem capricho nem brutalidade inútil. A verdade deve ser descoberta muitas vezes por meios especiais. Ora, esta verdade é simplesmente o segredo das maquinações que fizeram tanto mal à sua família e ao senhor mesmo... Entenda, senhor... o segredo dos Mélamare... eu o conheço. Só falta os senhores o conhecerem e destruírem o malefício. Concorda em me conceder em confiança os vinte minutos de que necessito? Vinte minutos, nada mais.

D'Enneris nem mesmo esperou a resposta de de Mélamare. Sua oferta era dessas que não se recusam. Voltou-se para Van Houben e, em tom mais seco:

— Você me traiu. Seja como for, vamos passar por cima disso. Quer hoje os diamantes que esse homem lhe roubou? Se sim, pare de resmungar. Ele vai devolvê-los.

Faltava o delegado Béchoux. D'Enneris lhe disse:

— Sua vez, Béchoux. Aqui está sua parte no caso. Eu lhe ofereço primeiro a verdade, essa verdade que todos os policiais da chefatura procuram em vão à sua volta, e que você vai lhes servir quentinha. Eu lhe ofereço em seguida Antoine Fagerault, que lhe entregarei como um cadáver, se ele não andar direito. E, no fim das contas, lhe ofereço os dóis cúmplices, Laurence Martin e seu pai. São quatro horas. Às seis horas exatamente você os terá. Está bem para você?

– Sim.

– Portanto, estamos de acordo. Apenas...

– Apenas?

– Caminhe comigo até o fim. Se às sete da noite eu não tiver cumprido todas as minhas promessas, ou seja, se não tiver revelado o segredo dos Mélamare, esclarecido todo o caso e entregado os culpados, juro pela minha honra que lhe apresentarei os pulsos às algemas e o ajudarei a descobrir se sou d'Enneris, Jim Barnett ou Arsène Lupin. Enquanto isso, sou apenas o homem que tem meios de desvendar a trágica situação em que todo o mundo se agita. Béchoux, tem aí algum carro da chefatura?

– Sim, bem perto.

– Mande buscá-lo. E você, Van Houben, seu carro?

– Eu disse ao meu motorista que estivesse aqui às quatro horas.

– Quantos lugares?

– Cinco.

– O seu motorista é inútil. Pode ficar por aqui. Você mesmo pode nos conduzir.

Voltou para junto de Fagerault, examinou-o e auscultou-o. O coração funcionava bem. A respiração estava regular, a fisionomia normal. E concluiu:

– Ele vai despertar dentro de vinte minutos. É o tempo exato, justo mesmo, de que preciso.

– Para fazer o quê? – interrogou Béchoux.

– Para chegar aonde devemos chegar.

– Quer dizer?

– Logo vai ver. Vamos.

Ninguém mais protestou. A autoridade de d'Enneris pesava sobre todos. Mas, mais do que tudo, submetiam-se talvez à ação formidável que a personalidade de Arsène Lupin exercia. O passado fabuloso do aventureiro, suas prodigiosas explorações se somavam ao prestígio que emanava do próprio d'Enneris. E as duas personalidades, confundidas uma na outra, tornavam-se um poder considerado capaz de todos os milagres.

Arlette contemplava de olhos arregalados aquele estranho personagem. O conde e sua irmã palpitavam de uma louca esperança.

– Meu caro d'Enneris – disse Van Houben, virando-se subitamente –, nunca mudei de opinião: só você mesmo poderá recuperar o que me foi roubado.

Um carro acabava de entrar no pátio. Acomodaram Fagerault no veículo. Os três agentes tomaram lugar ao lado dele, e Béchoux lhes disse, em voz baixa:

– Fiquem de olhos abertos... não tanto com esse aí, mas com d'Enneris, quando chegar o momento... estamos com ele nas mãos, não vamos deixá-lo escapar, hein?

Depois, Béchoux se juntou a d'Enneris. O senhor de Mélamare havia telefonado para o tabelião, para adiar a assinatura da escritura. Gilberte tinha colocado um casaco e um chapéu. Subiram com Arlette no carro de Van Houben.

– Atravesse o Sena no final das Tulherias – ordenou Jean, e siga direto pela Rua de Rivoli.

Todos se mantiveram calados. Com que paixão ansiosa Gilberte e Adrien de Mélamare esperavam os acontecimentos! Por que aquela corrida de carro? Para onde iam? Qual seria a verdade?

D'Enneris murmurou, em tom abafado, com o ar de quem fala mais consigo mesmo do que com quem pudesse escutá-lo:

– O segredo dos Mélamare! Quanta reflexão me custou! Desde o início, desde o rapto de Régine e Arlette, tive a intuição de que me encontrava diante desses problemas em que o presente só se explica por meio do passado longínquo... E esses problemas muitas vezes me cativaram! Um ponto logo me pareceu fora de questão: o senhor e a senhora de Mélamare não podiam ser culpados. A partir daí, devíamos acreditar então que outras pessoas utilizavam sua casa para a execução de planos criminosos? Essa foi a tese de Fagerault. Mas o interesse de Fagerault era que todos acreditassem nessa sua hipótese e que a Justiça se desviasse para essa direção. E, por outro lado, seria possível admitir que Arlette e Régine tivessem sido trazidas para aquele salão sem atrair a atenção do senhor e da senhora de Mélamare, além de François e da sua mulher?

Ele se calou um momento. Adrien de Mélamare, inclinado sobre ele, de rosto crispado, sussurrou:

– Fale... continue falando... eu lhe peço.

Ele respondeu lentamente:

– Não... não é por palavras que vocês conhecerão a verdade... Não me apressem...

E continuou:

– A verdade é simples, no entanto! Eu me pergunto como ela nunca se apresentou à mente dos que a procuraram, nem como uma sombra fugidia. Para mim, a centelha resultou da junção de alguns fatos de que me lembrei. Acrescentemos, se quiserem, aqueles roubos estranhos de que vocês foram vítimas, o desaparecimento de objetos sem importância, o que me parece inexplicável e tem bastante significado! Pois, enfim, se são roubados objetos sem valor real, é porque têm um valor especial para aqueles que os roubam!

Ele se calou outra vez. O conde teve um acesso de impaciência. Na hora de saber, era torturado pela necessidade desenfreada de saber imediatamente. Gilberte também sofria duramente. D'Enneris disse a eles:

– Por favor... Os Mélamare esperaram mais de um século. Que esperem ainda alguns minutos mais! Nada no mundo pode se interpor entre eles e a verdade que se aproxima.

Voltou-se para Béchoux e brincou:

– Está começando a compreender, hein, meu velho Béchoux? Ou, pelo menos, a entrever um pequeno clarão? Não, nada ainda? Pena... É um belo segredo, original, saboroso, impenetrável, claro como o cristal e obscuro como a noite. Mas não é? Os mais belos segredos são como o ovo de Colombo... é preciso pensar nisso. Vire à esquerda, Van Houben. Estamos chegando.

Entraram por ruas estreitas, um tanto tortuosas e atravancadas. Um velho bairro comercial e de pequenas indústrias, com armazéns e oficinas que funcionavam em construções antigas. De tempos em tempos percebia-se uma varanda de ferro forjado, janelas altas e, pelas portas bem abertas, largas escadas com corrimão de carvalho.

– Devagar, Van Houben. Bem... agora estacione tranquilamente do lado direito. Mais alguns metros. Chegamos.

Ele desceu, ajudando Gilberte e Arlette a descerem.

O carro dos policiais parou atrás do de Van Houben.

– Que eles não se mexam por enquanto – disse Jean a Béchoux –, e veja se Antoine ainda dorme. Diga aos policiais para transportá-lo daqui a dois ou três minutos.

Encontravam-se agora em uma rua sombria, que seguia do oeste para o leste, ladeada à esquerda por imóveis que abrigavam desde depósitos até fábricas de massas e conservas alimentícias. À direita, quatro pequenas casas se alinhavam, iguais e de acabamento semelhante, de aspecto pobre, que, pelas janelas sem cortinas e pelo chão sujo, davam a impressão de estar desabitadas. Um portão se destacava da porta de entrada de folhas duplas, outrora verdes, mas completamente desgastadas, onde agora estavam colados cartazes eleitorais.

O conde e Gilberte contemplavam o lugar, indecisos e preocupados. Que faziam ali, afinal? O que iriam descobrir? Como conceber que a palavra que faltava ao enigma pudesse estar exatamente nesse lugar e atrás daquela porta por onde parecia que nunca passava alguém?

D'Enneris tirou do bolso uma chave fina, longa e brilhante, de linhas modernas, que introduziu em uma fenda existente na altura de uma fechadura de segurança.

Observou seus companheiros e sorriu. Estavam, os quatro, pálidos e preocupados. A vida deles dependia verdadeiramente dos menores gestos do homem que os dominava. Sem nenhuma razão legítima, esperavam alguma coisa extraordinária, não podiam conceber que não fosse assim, mas submetiam-se ao inevitável porque Arsène Lupin mantinha a cortina que ainda lhes ocultava a paisagem desconhecida.

Então, ele girou a chave e, adiantando-se ao grupo, de repente os fez entrar.

Gilberte soltou um grito de espanto e se apoiou no irmão. O conde cambaleou. Jean d'Enneris teve de sustentá-los.

A VALNÉRY, MOÇA GRACIOSA

Milagre incompreensível! *Dez minutos após terem deixado o pátio da mansão Mélamare, eles se encontravam ainda no pátio principal da mansão Mélamare.* E, no entanto, tinham atravessado o Sena, e o tinham atravessado uma única vez! Mas não haviam fechado um circuito que lhes permitisse retornar ao ponto de partida. E, no entanto, após terem percorrido uma distância de cerca de três quilômetros a partir da Rua d'Urfé (três quilômetros, quer dizer, mais ou menos a largura da Paris de antigamente entre os Invalides e a Place des Vosges), *entravam no pátio principal da mansão Mélamare.*

Sim, um milagre! Era preciso um esforço de lógica e raciocínio para desdobrar as duas visões, e para que a mente se instalasse alternadamente em dois lugares diferentes. O golpe de vista inicial e o pensamento instintivo não faziam dos dois espetáculos senão um único, que estava ao mesmo tempo lá embaixo e aqui, perto dos Invalides e perto da Praça des Vosges.

E isso provinha do fato de que havia não apenas identidade de coisas, analogia absoluta de linhas e de cores, semelhança de duas fachadas de casa que se erguiam no fundo de dois pátios principais, mas que havia sobretudo o que o tempo tinha criado, uma mesma atmosfera, uma mesma alma que flutuava entre as paredes de um retângulo estreitamente limitado, banhado por um ar um tanto úmido de um rio próximo.

Eram evidentemente as mesmas pedras, trazidas da mesma pedreira e talhadas nas mesmas dimensões, mas além disso elas haviam adquirido a mesma pátina com o passar dos anos. E as intempéries tinham dado às mesmas lajotas, com os sulcos de ervas que as cobriam em alguns lugares, o mesmo aspecto secular, e aos telhados que se percebiam os mesmos tons esverdeados.

Gilberte murmurou, toda trêmula:

– Meu Deus! Será possível!

E a história de sua família oprimida aparecia aos olhos de Adrien de Mélamare.

D'Enneris levou-os para a escada.

– Minha pequena Arlette – disse Jean –, lembre-se de sua emoção no dia em que eu a levei ao pátio dos Mélamare. Imediatamente, Régine e você reconheceram os seis degraus da escada que fizeram vocês subirem. Ora, aqui está o pátio, e aí está a verdadeira escada.

– É a mesma – disse Arlette.

Sem dúvida alguma, era a mesma escada que elas tinham subido, a mesma escada da Rua d'Urfé, formada pelos mesmos seis degraus e coberta pela mesma marquise de vidros desiguais. E, quando entraram na mansão misteriosa, o mesmo vestíbulo, com lajotas da mesma procedência e na mesma disposição.

– Até os passos fazem o mesmo ruído – observou o conde, cuja voz ressoava da mesma maneira que ressoava lá embaixo, quando ele entrava em casa.

Adrien quis ver os outros cômodos do andar térreo. D'Enneris, apressado pela hora, não lhe permitiu, e o fez subir os vinte e cinco degraus da escada que tinha a mesma passadeira e era ladeada pelo mesmo corrimão de ferra trabalhado. O patamar... três portas em frente, como lá embaixo... depois o salão...

E o espanto deles cresceu ainda mais do que quando estavam no pátio principal. Mais ainda do que a mesma atmosfera acumulada no interior da sala, era a identidade absoluta dos móveis e dos bibelôs, o mesmo desgaste dos estofados, eram as mesmas nuances das tapeçarias, os mesmos desenhos do soalho, o mesmo lustre, os mesmos candelabros, as mesmas cômodas, as mesmas arandelas, a mesma metade de cordão de campainha.

– Foi aqui mesmo, Arlette, que quiseram prendê-la, hein? – disse Jean.
– Como você não haveria de se enganar?
– Aqui é tudo igual à outra casa – respondeu ela.
– Foi aqui, Arlette. Aí está a lareira que você escalou, a estante de livros onde você se escondeu. Venha ver a janela pela qual você escapou.

Ele lhe mostrou, pela janela, o jardim plantado com arbustos e ladeado de altos muros que o dissimulavam para os vizinhos. Na extremidade, erguia-se o pavilhão abandonado e corria o muro mais baixo onde havia a pequena porta de serviço que Arlette tinha conseguido abrir.

– Béchoux – ordenou d'Enneris –, traga-nos Fagerault para cá. É preferível que seu carro venha até o pé da escada e que seus agentes esperem atentos. Vamos precisar deles.

Béchoux se apressou. O portão da entrada bateu com o mesmo estrondo que o da Rua d'Urfé. O carro tinha o mesmo barulho.

Subindo, Béchoux disse rapidamente a um de seus homens:
– Acomode seus dois companheiros aí embaixo, no vestíbulo, e você vá depressa à chefatura, onde vai pedir para mim três agentes de segurança. Serviço urgente. Você vai trazê-los e mandá-los se sentarem nos primeiros degraus da escada do subsolo onde está a porta. Talvez não precisemos deles. Mas é bom ter precaução. E, sobretudo, nenhuma palavra de

explicação na chefatura. Guardemos para nós todo o prestígio da prisão. Compreendido?

Colocaram Antoine Fagerault em uma poltrona. D'Enneris fechou a porta.

O tempo de vinte minutos que ele havia previsto pouco devia ter sido ultrapassado. E, de fato, Antoine começava a se mexer. D'Enneris tirou de seu nariz a compressa de clorofórmio e a jogou pela janela. Depois, dirigindo-se a Gilberte:

– Tenha a gentileza de esconder seu chapéu e seu casaco. Não deve se considerar como estando aqui, senhora, mas como estando em sua casa, na Rua d'Urfé. Para Antoine Fagerault, nós não saímos da Rua d'Urfé. E insisto da maneira mais premente que ninguém pronuncie uma única palavra que esteja em contradição com o que vou dizer. Os senhores todos estão mais interessados do que eu no bom desfecho desta situação.

Antoine respirou mais profundamente. Levou a mão à testa como para espantar o sono insólito que o acometia. D'Enneris não o perdia de vista. O conde não pôde se impedir de dizer:

– Então, seria esse homem o herdeiro da estirpe...?

– Sim – disse d'Enneris –, dessa estirpe que o senhor sempre pressentiu. De um lado, os Mélamare, pensam os senhores, de outro, os perseguidores invisíveis e desconhecidos. Era justo, mas insuficiente. O enigma não estava completo e, por consequência, explicável, a não ser que o desdobrássemos, não apenas no que eu chamaria de interpretação do drama, mas também no próprio cenário do drama, e em cada uma das peças que o constituem, cada um dos móveis que o compõem. Era preciso dizer que Arlette e Régine realmente tinham visto os objetos que estavam no seu salão, mas que, realmente, era aqui que seus olhos os tinham contemplado.

Ele se interrompeu e olhou em torno para se assegurar de que tudo estava bem como ele queria que fosse. E foi naquela atmosfera de expectativa, no meio de pessoas mantidas, por vontade ou à força, em certo estado de espírito, que Antoine Fagerault pouco a pouco despertou do torpor. A dose de clorofórmio fora fraca. Ele recobrou rapidamente a consciência, pelo menos a consciência para refletir sobre o que havia acontecido. Lembrou-se do soco recebido. Mas, a partir desse instante, só havia sombras em sua memória, e ele não pôde distinguir o que havia acontecido, nem adivinhar que tinha dormido.

Ele conjecturou pensativamente:

– O que aconteceu? Parece-me que fiquei descordado e que muito tempo se passou desde...

– Ora, claro que não – disse d'Enneris, rindo. – Dez minutos apenas. Mas começávamos a ficar preocupados. Já viu um campeão de boxe ficar desacordado no ringue durante dez minutos por causa de um soco terrível? Desculpe-me. Bati com mais força do que gostaria.

Antoine lhe lançou um olhar furioso.

– Estou me lembrando – disse ele –, você se enraiveceu porque, para seu desagrado, eu havia descoberto Lupin.

D'Enneris pareceu desolado.

– Como? Ainda está nisso? Se o seu sono só durou dez minutos, em compensação os acontecimentos se sucederam. Lupin, Barnett, como isso é velho! Ninguém aqui se interessa por essas besteiras!

– O que é que interessa? – perguntou Antoine, interrogando os rostos impassíveis daqueles indivíduos que um dia haviam sido seus amigos e cujos olhares agora o evitavam.

– O que interessa? – exclamou Jean. – Mas é a sua história! Unicamente sua história e a dos Mélamare, pois são apenas uma.

– São apenas uma?

– Ora essa! E talvez você ainda aproveite alguma coisa ao me escutar, pois só a conhece parcialmente e não em toda a sua amplitude.

Enquanto os dois homens trocavam essas poucas palavras, cada um dos ouvintes tinha mantido o silêncio e a aquiescência exigidos por d'Enneris. Todos se faziam cúmplices, e nenhum deles tinha o ar de ter deixado o salão da Rua d'Urfé. Se a menor dúvida ainda se insinuasse na mente de

Antoine Fagerault, foi suficiente para ele observar Gilberte e seu irmão para ter certeza de que se encontrava na casa deles.

– Vamos – disse ele –, conte. Eu gostaria muito de conhecer minha história vista e interpretada por você. Depois será a minha vez.

– De contar a minha?

– Sim.

– Segundo os documentos que você tem no bolso?

– Sim.

– Você não os tem mais.

Antoine procurou sua carteira e soltou uma praga.

– Ladrão! Você me roubou.

– Já lhe disse que não temos tempo de nos ocupar de mim. Só de você, e já é muito. Agora, silêncio.

Antoine se conteve. Cruzou os braços e, com a cabeça virada de modo a não ver Arlette, afetou uma atitude distraída e desdenhosa.

Desde então, ele pareceu não existir mais para d'Enneris. Foi a Gilberte e a seu irmão que este se dirigiu. Chegava a hora de expor, em seu conjunto e com detalhes, o segredo dos Mélamare. Ele o fez, sem frases inúteis, em termos claros, não como se imagina uma hipótese segundo fatos interpretados, mas como se conta uma história de acordo com documentos indiscutíveis.

– Peço-lhes desculpas por remontar tão a fundo aos anais de sua família. Mas a origem do mal é mais longínqua do que os senhores pensam, e enquanto estão obcecados pelas duas datas sinistras em que morreram tragicamente seus dois antepassados inocentes, ignoram que as duas datas foram determinadas por uma pequena aventura mais ou menos sentimental que ocorreu no fim do século XVIII, ou seja, em uma época em que sua casa já tinha sido construída, não é? Depois de vinte e cinco anos.

– Sim – aprovou o conde, meneando a cabeça –, uma das pedras da fachada traz a data de 1750.

– Ora, foi em 1772 que seu antepassado François de Mélamare, pai daquele que foi general e embaixador, avô daquele que morreu em sua cela, mobiliou a casa e a tornou exatamente como é hoje, não é?
– Sim. Todas as contas dos trabalhos realizados estão em meu poder.
– François de Mélamare desposou a filha de um rico financista, a bela Henriette, que ele amava perdidamente e que lhe retribuía o amor, e quis dar à mulher um lar digno dela. Daí as despesas que fez, sem prodigalidades inúteis aliás, mas com equilíbrio e recorrendo aos melhores artistas. François e a terna Henriette, segundo sua expressão, foram muito felizes juntos. Nenhuma mulher parecia ao jovem marido mais bela do que a sua. Nada lhe parecia de mais bom gosto e mais encantador do que as obras de arte e os móveis que ele havia escolhido ou encomendado para ornamentar o interior de sua casa. Passava seu tempo a classificá-las e a catalogá-las.
– Ora, essa vida calma e de prazeres íntimos, se persistiu para a condessa, absorvida na educação dos filhos, acabou ficando um tanto desorganizada para o conde François de Mélamare. Quis a má sorte que ele se enamorasse de uma moça do teatro, a Valnéry, bem jovem, bonita, espirituosa, que tinha pouco talento e muitas ambições. Na aparência, nenhuma mudança. François de Mélamare reservava para sua mulher toda a sua afeição, todo o seu respeito e, como ele dizia, nove décimos de sua existência. Mas toda manhã, das dez à uma hora, sob pretexto de passeio ou visitas aos ateliês de pintores célebres, ia almoçar com sua amante. Tomava todas as precauções para que a terna Henriette nunca soubesse de nada.
– Uma única coisa afetava a satisfação de marido infiel, era deixar sua querida casa da Rua d'Urfé, situada no coração do Faubourg Saint-Germain, e seus bem amados objetos de decoração para se estabelecer em uma casa vulgar, onde nenhuma alegria contentava seus olhos. Infiel à sua mulher, sem remorsos, ele sofria por ser infiel também à sua casa. E foi assim que, do outro lado da Paris de então, em um bairro de antigos pântanos onde burgueses ricos e grandes senhores haviam erguido suas casas de campo, ele mandou construir uma casa em tudo semelhante

àquela da Rua d'Urfé e que mobiliou exatamente da mesma maneira que havia mobiliado a primeira. Do lado de fora, nada se percebia daquele capricho de cavalheiro. Mas, uma vez que ele entrava no pátio principal da Folie-Valnéry, como ele chamou sua nova morada, François podia crer que retomava sua vida no ambiente que havia reorganizado. A porta se fechava com o mesmo barulho.

– O pátio mostrava lajotas da mesma procedência, a escada tinha os mesmos degraus, o vestíbulo os mesmos ladrilhos, cada peça os mesmos móveis e os mesmos objetos. Nada o chocava mais em seus gostos, nem em seus hábitos. Estava de novo em seu lar. Ocupava-se da mesma maneira. Continuava ali suas classificações, seus catálogos e seus inventários, e sua mania se tornou tal que ele não suportaria a falta de um mínimo bibelô, de um lado ou de outro, ou que não ocupasse seu devido lugar.

– Refinamento delicado, volúpia sutil, mas que, infelizmente, o levaria à sua perda e tornaria trágico o destino de sua gente por várias gerações. A anedota passava de boca em boca e corria pouco a pouco os salões e as ruas. Comentava-se: Marmontel, o abade Galiani e o ator Fleury fizeram alusões a ele em termos velados em suas memórias ou em suas cartas. Se bem que a Valnéry, que François até então tinha conseguido manter na ignorância, ficou sabendo da história.

– Bastante ofendida, acreditando exercer um domínio sem limites sobre seu amante, ela o constrangeu a escolher não entre ela e a mulher dele, mas entre suas duas casas. François não hesitou: escolheu sua casa da Rua d'Urfé, e escreveu à sua amante este belo bilhete que Grimm nos transmitiu:

Sou dez anos mais velho, bela Florinde, você também. O que significa vinte anos de relação. Ao fim de vinte anos não é preferível dar adeus?

– Então ele deu adeus a Valnéry, deixando-lhe a casa da Rua Vieille-des--Marais, e disse adeus a seus objetos, dos quais não sentia tanta saudade assim, já que os reencontrava aqui em sua casa original, que ele se deu, dessa vez sem partilhar com Henriette.

– A fúria da Valnéry foi extrema. Ela irrompeu um dia na casa da Rua d'Urfé, onde, felizmente, Henriette não se encontrava, e fez tamanho escândalo que François a colocou para fora à força e com insultos. Desde então, ela não pensou em outra coisa senão em se vingar. Três anos mais tarde, estourou a Revolução. Envelhecida e rancorosa, mas ainda rica, ela desempenhou seu papel, desposou um certo senhor Martin da sociedade de Fouquier-Tinville, denunciou o conde de Mélamare, que não tinha podido desalojar, e, alguns dias antes do Termidor[5] fez com que o enviassem para o cadafalso, assim como a terna Henriette.

D'Enneris parou. Todos escutavam atentamente a curiosa narração, à qual apenas Fagerault parecia indiferente. O conde de Mélamare declarou:

– A história íntima de nosso antepassado não chegou até nós. Mas sabemos, na verdade, pela tradição oral, que certa senhora Valnéry, atriz do teatro popular, havia denunciado assim nossa bisavó. Quanto ao resto, tudo se perdeu na tormenta, e os arquivos de nossa família só nos legaram registros de contas e inventários detalhados.

– Mas o segredo – retomou d'Enneris – se mantém vivo na memória da senhora Martin. Viúva (já que o amigo de Fouquier-Tinville foi, por sua vez, guilhotinado), ela se instalou na antiga Folie-Valnéry e viveu bastante isolada, com um filho que havia tido de seu casamento, e a quem ela ensinou a odiar o nome Mélamare. A morte de François e de sua mulher não lhe bastou, e a glória que o mais velho da família, Jules de Mélamare, adquiriu no exército de Napoleão, e mais tarde, na Restauração, em grandes postos diplomáticos, foi para ela causa incessante de rancor e ódio. Desgostosa, ela o espionou por toda a vida, e quando, coberto de honrarias, ele reabriu a casa da Rua d'Urfé, ela organizou o tenebroso complô que devia enviá-lo para a prisão.

---
[5] Referência ao golpe do Termidor (julho de 1794), que pôs fim à época do Terror, durante o período revolucionário na França. (N.T.)

– Jules de Mélamare sucumbiu às provas terríveis acumuladas contra ele. Foi acusado de um crime que não havia cometido, mas que tinha sido cometido em um salão que foi reconhecido como seu, entre móveis que eram seus, em frente de uma tapeçaria que era sua. Pela segunda vez a Valnéry se vingava. Vinte e dois anos mais tarde, ela morria, quase centenária. Seu filho já a tinha precedido no túmulo. Mas ela deixou um neto de 15 anos, Dominique Martin, que ele havia educado no ódio e no crime, e que sabia por ela o que podia fazer com o segredo da dupla casa Mélamare. Ele urdiu por sua vez, com uma habilidade infinita, a maquinação que determinou o suicídio de Alphonse de Mélamare, ordenança de Napoleão III, acusado de haver assassinado duas mulheres em um salão que não podia ser senão aquele da Rua d'Urfé. Esse Dominique Martin é o velhote trágico que procura justiça, e é o pai de Laurence Martin. O verdadeiro drama começa.

Segundo a análise de d'Enneris, o verdadeiro drama começava agora. Antes, tudo não passara de prólogo e preparação. Saía daqueles tempos longínquos, em que toda a história toma feição de lenda, para entrar na realidade de hoje. Os atores ainda existiam. Do mal que fizeram, sentia-se o prejuízo direto.

D'Enneris continuou:

– Assim, apenas dois seres ligam o último quarto do século XVIII aos primeiros anos do século XX. Durante todo um século, a amante de François de Mélamare dá a mão ao assassino do conselheiro municipal Lecourceux. Passa a ele as instruções. E lhe insufla seu ressentimento. A obra recebe novo impulso... O ódio é igual. Mas o que há em Dominique Martin de execração atávica e instintiva se alia a uma força que, até aqui, não estava em jogo, a necessidade de dinheiro. O golpe executado contra Alphonse de Mélamare, ordenança, se dobrava com a rapinagem e o estelionato. Mas o benefício recebido, assim como a herança de seu antepassado, tudo isso Dominique logo dilapidou. Viveu então de expedientes e de roubos. Apenas, como não tem mais, para sustentar seus golpes, o álibi que lhe fornecia a casa da Rua d'Urfé, por ser local fechado e barricado, e como a família de Mélamare, durante mais de uma geração, está refugiada na província, ele não pode tramar nenhum negócio de grande envergadura e menos ainda atacar seus inimigos hereditários.

– Eu não saberia dizer ao certo quais foram, na época, os meios de subsistência de Dominique, nem detalhar as operações pouco frutíferas efetuadas por alguns amigos arrolados sob sua direção. Ele logo se casou com uma mulher honesta, que morreu de tristeza, parece, e lhe deixou três filhas, Victorine, Laurence e Félicité, que cresceram e vivem como podem na casa da Valnéry. Desde cedo Victorine e Laurence o auxiliam em suas expedições. Félicité, que herdou da mãe uma natureza proba, preferiu fugir a obedecer, casou-se com um homem destemido chamado Fagerault e foi com ele para a América. Quinze anos se passam. Os negócios não vão bem. Dominique e suas filhas não vendem a velha casa por preço nenhum, única herança de família. Também não pensam em aluguel nem em hipoteca. Precisam estar livres, ter sua casa e ficar em condição de aproveitar a primeira ocasião. E como não esperar? A outra mansão, aquela da Rua d'Urfé, está aberta e ocupada. O conde Adrien de Mélamare e sua irmã Gilberte esquecem as horríveis lições do passado e vêm morar em Paris. Não poderiam aproveitar sua presença e recomeçar contra eles o que conseguiram contra Jules e Alphonse de Mélamare?

– É nesse momento que o destino interfere. Félicité, a filha de Dominique que se exilou na América, morre em Buenos Aires, assim como o marido. Um filho nasceu dessa união. Tem 17 anos. Está pobre. O que ele vai fazer? É tomado pela vontade de conhecer Paris. Um belo dia, repentinamente, bate à porta de seu avô e de suas tias. A porta entreabre:

"– O que quer? Quem é você?

"– Antoine Fagerault."

Ao ouvir seu nome, Antoine Fagerault, que mal dissimulava o interesse crescente que despertava nele a sombria história de sua família, inclinou ligeiramente a cabeça, ergueu os ombros e zombou:

– Que conversa fiada é essa? Onde é que foi buscar tanta maldade? A Valnéry? Casa da Rua Vieille-des-Marais? As duas casas? Nunca ouvi falar de todas essas besteiras... Na verdade, é tudo invenção sua.

D'Enneris não fez caso da interrupção de Antoine. Metodicamente, prosseguiu:

– Antoine Fagerault chega à França, não conhece do passado senão o que puderam e o que quiseram lhe contar, ou seja, não muita coisa. É um jovem bom, inteligente, que adorava sua mãe e que só quer viver segundo os princípios que ela lhe inculcou. Seu avô e suas tias percebem a situação e não se precipitam. Ganham tempo, adivinhando que o jovem, embora eficiente e ativo, é preguiçoso e muito inclinado às dissipações mundanas. A essa altura, em lugar de segurá-lo, procuram encorajá-lo. Divirta-se, meu garoto, caia no mundo. Faça relações úteis. Gaste dinheiro. Quando acabar, arrumamos mais. Antoine gasta, joga, endivida-se e aos poucos, sem querer, descamba para o terreno de certos compromissos, até que um dia os parentes lhe anunciam que estão arruinados e que será preciso trabalhar. A mais velha das duas irmãs não trabalha? Não tem uma loja de revenda de quinquilharias na Rua Saint-Denis? Antoine não concorda. Trabalhar? Não há nada melhor a fazer quando se tem 24 anos, quando se é um garoto bem-apessoado como ele, simpático e bonito, e que a vida livrou de quaisquer escrúpulos incômodos? Então as duas irmãs o põem a par do passado, contam-lhe a história de François de Mélamare e da Valnéry, revelam o segredo das duas casas semelhantes e, sem fazer alusão aos assassinatos, lhe indicam a possibilidade de algum negócio lucrativo. Dois meses mais tarde, Antoine já havia manobrado tão bem que tinha ficado amigo da condessa de Mélamare e de seu irmão Adrien, e em condições tão favoráveis para ele que se introduziu na casa da Rua d'Urfé. Assim, o assunto está se resolvendo. A condessa Gilberte acaba de se divorciar. É bonita e rica. Ele vai casar com a condessa.

A essa altura da narrativa, Fagerault protestou em tom veemente:
– Não retruco suas calúnias idiotas. Seria me rebaixar. Mas há uma coisa que não aceito, é que você descaracterize os sentimentos que eu tinha por Gilberte de Mélamare.
– Não digo que não – concedeu Jean, sem responder diretamente. – O jovem Fagerault é um pouco romântico nessa ocasião, e de boa-fé. Mas

antes de tudo, para ele, é um negócio em perspectiva. E, como é preciso fazer figura, parecer à vontade, ter uma carteira recheada, ele exige de suas tias, para grande desagrado do velho Dominique, que vendam alguns itens do mobiliário da atriz Valnéry. E durante um ano, discretamente, ele faz sua corte. Tempo perdido. Nessa época, o conde não tem mais confiança nele. A senhora de Mélamare, em um dia que ele se mostra muito ousado, chama seu criado e o coloca para fora. É o desvanecimento de seus sonhos. Tem de recomeçar tudo, e em que condições! Como sair da miséria? A humilhação e o rancor destroem nele o que restava da influência maternal, e por essa brecha se infiltram todos os maus instintos da linhagem Valnéry. Ele jura retomar sua vingança. Enquanto aguarda, faz biscates a torto e a direito, viaja, arma golpes, falsifica e, todas as vezes que passa por Paris, de bolso vazio, vende móveis da casa, apesar das terríveis discussões com o avô. A venda desses móveis, assinados por Chapuis, e seu envio ao estrangeiro, não é que encontramos as provas disso em um antiquário, Béchoux e eu?

– A casa vai se esvaziando pouco a pouco. Que importa? O essencial é conservá-la, e não tocar nem no salão nem na aparência da escada, do vestíbulo e do pátio. Ah, quanto a isso, as irmãs Martin são intransigentes. É preciso que a semelhança entre os dois salões seja absoluta, senão tudo pode ser descoberto e nunca se conseguirá preparar o golpe. Elas possuem em dobro os inventários e os catálogos de François de Mélamare, e não admitem que falte algum objeto. Laurence Martin, sobretudo, é incansável. Guardou de seu pai e da Valnéry as chaves da Rua d'Urfé, ou seja, as chaves da casa Mélamare. Por diversas vezes, à noite, ela entra ali. E é assim que, um dia, o senhor de Mélamare percebe que certas pequenas coisas desapareceram. Laurence veio. Cortou o cordão da campainha, porque, em sua casa, a metade desse mesmo cordão não existe mais. Roubou uma fechadura e uma arandela de castiçal, porque em sua casa esses objetos desapareceram. E assim por diante. Coisas sem valor? Certamente, de um ponto de vista intrínseco. Mas existe sua irmã mais velha, Victorine. E para ela, que é vendedora de quinquilharias, tudo tem um valor. Ela desvia uma parte

dos objetos para o mercado das pulgas, para aonde o acaso me conduziu, outra parte para sua loja, para aonde me levaram minhas investigações e onde por fim encontrei Fagerault.
– Nesse momento, tudo vai mal. Nem uma moeda em casa dos Martin. Não se pode comer o suficiente. Não há quase mais nada para vender, e em relação ao que resta o avô faz guarda cerrada. O que se vai fazer? É então que, no Théâtre de l'Opéra, com muita promoção, organizam uma grande festa de caridade. No cérebro inventivo de Laurence Martin germina a ideia de um golpe mais audacioso: roubar o corpete de diamantes. Ah, maravilha! Antoine Fagerault se inflama. Em vinte e quatro horas, prepara tudo. Chega a noite, ele penetra nos camarins, põe fogo em seu buquê de flores falsas, rapta Régine Aubry e a coloca em um carro roubado. Golpe de mestre, que só teria como consequência a escamoteação do corpete, efetuada no carro. Mas Laurence Martin quer mais do que isso. A bisneta da Valnéry não esqueceu. Para dar à aventura todo o significado hereditário, ela quis que o roubo fosse executado no salão da Rua Vieille-des-Marais, no salão igual àquele dos Mélamare. Não seria a ocasião, com efeito, se fossem descobertos, de dirigir a investigação para a Rua d'Urfé e renovar contra o conde atual o que se conseguira contra Jules e Alphonse de Mélamare?
– O roubo, então, ocorreu no salão da Valnéry. Como a condessa, Laurence exibe em seu dedo um anel com três pequenas pérolas dispostas em triângulo. Como a condessa, ela está vestida com um traje cor de ameixa enfeitado com veludo negro. Como o conde, Antoine Fagerault usa sapatos de bico claro... Duas horas antes, Laurence Martin entra na casa dos Mélamare e esconde a túnica de prata em um dos livros da estante, onde, algumas semanas mais tarde, o delegado Béchoux a encontra, mostrando-se prova irrecusável. O conde é detido. Sua irmã se salva. Pela terceira vez os Mélamare são desonrados. É o escândalo, a prisão, logo o suicídio e, para os descendentes da Valnéry, a impunidade.
Ninguém havia interrompido as explicações de Jean. Ele as forneceu em tom seco, escandindo as frases com a mão, e cada um dos ouvintes

reviveu a tenebrosa história, cujos detalhes se desenrolaram enfim com lógica e clareza.

Antoine começou a rir, e seu riso era muito natural.

– É muito divertido. Tudo isso se sustenta bem. Um verdadeiro romance folhetinesco cheio de peripécias e efeitos teatrais. Meus cumprimentos, d'Enneris. Infelizmente, no que me concerne, e sem mesmo insistir no meu suposto parentesco com os Martin e na ignorância absoluta que tenho dessa segunda casa de que você fala e que não existe senão em sua fértil imaginação, infelizmente meu papel é rigorosamente o contrário daquele que você me atribui. Nunca raptei ninguém, nem roubei nenhum corpete de diamantes. Tudo isso que meus amigos Mélamare, tudo o que Arlette, Béchoux e você mesmo puderam ver de meus atos não são senão probidade, desinteresse, assistência e amizade. Você está indo mal, d'Enneris.

Objeção justa, sob certos aspectos, e que não deixou de impressionar o conde e sua irmã. A conduta aparente de Fagerault tinha sido sempre irretocável. E, por outro lado, ele podia ignorar a existência dessa segunda casa. D'Enneris não se furtou e respondeu, sempre de maneira indireta:

– Há fisionomias que enganam e maneiras de ser que induzem ao erro. Por mim, nunca me deixei levar pelo ar leal do senhor Fagerault. Desde a primeira vez que o vi na loja de sua tia Victorine, pensei que era ele nosso adversário, e quando, à noite, dissimulado atrás da tapeçaria, assim como Béchoux, eu o ouvi falar, minha dúvida se tornou certeza. O senhor Fagerault desempenhou um papel. Apenas confesso que, exatamente a partir do dia em que o vi, sua conduta me derrotou. Mas vejam que ele defendia os Mélamare em lugar de atacá-los, e que, de qualquer modo, ele mudava de campo. Que se passava então? Ah, uma coisa muito simples. Arlette, nossa bela e doce Arlette, tinha entrado em sua vida.

Antoine ergueu os ombros e riu.

– Cada vez mais engraçado. Vejamos, d'Enneris, então Arlette poderia mudar minha natureza? E fazer com que eu fosse cúmplice de patifes que eu perseguia e encurralava antes de você?

D'Enneris respondeu:

– Arlette já havia entrado na sua vida fazia algum tempo. O senhor conde de Mélamare deve se lembrar de que, atraído pela semelhança entre Arlette e uma pessoa querida que havia falecido havia tempos, acabou por segui-la várias vezes. Ora, Antoine, que o vigiava constantemente, direta ou indiretamente, ou por intermédio de suas tias, observou o seu interesse por aquela moça, acompanhou-a de longe até a sua mansão e rondou nas sombras, tentando mesmo abordá-la uma vez. A curiosidade do início foi se tornando um sentimento mais vivo, que crescia a cada encontro. Não esqueçamos que o senhor Antoine é um sentimental capaz de misturar sonhos românticos às suas especulações. Mas é também um apaixonado que não gosta de ficar a meio caminho. Encorajado pelo rapto de Régine, não hesita. Com a concordância de Laurence Martin, ainda que esta julgue o ato perigoso, rapta Arlette.

– Contava sequestrá-la, conservá-la à sua disposição e aproveitar um dia de fraqueza. Esperança vã. Arlette fugiu. Ele fica verdadeiramente desesperado. Sim, durante alguns dias, realmente sofre. Não pode passar sem ela. Quer vê-la. Quer ser amado. E uma bela noite, atrapalhando bruscamente todos os seus projetos, vai procurar Arlette e sua mãe. Apresenta-se como um antigo amigo dos Mélamare. Afirma que o conde e a condessa são inocentes. Será que Arlette o ajudaria a provar a inocência deles? Pode ver agora, não é, senhor de Mélamare, a vantagem que ele vai tirar dessa nova cartada, e como a consegue. Com um único golpe, angaria a simpatia de Arlette, feliz por reparar seu erro, colabora com ela e conquista a confiança de sua irmã, persuade-a a se entregar à Justiça, oferece a ela um plano de defesa e a salva, assim como ao senhor. Enquanto eu, desconcertado, perco tempo refletindo, ele passa as tardes aqui neste salão. Todos o festejam como tendo um gênio bom. Ele oferece milhões (o que isso lhe custaria?) para concretizar os sonhos generosos de Arlette e, apoiado por aqueles que salvou do abismo, obtém de Arlette uma promessa de casamento.

ARSÈNE LUPIN

    Antoine havia se aproximado. Toda a sua conduta viera à luz com tal violência, sem que um só ato se mantivesse na sombra, que ele começava a perder seu ar de indiferença irônica. É preciso lembrar, por outro lado, que o clorofórmio o deixara em estado de depressão física, que seu sistema nervoso fora abalado e, sobretudo, que ele se batia com um adversário de quem não imaginava nem o poder nem a documentação que possuía a seu respeito. Plantado diante de Jean, tremia de uma cólera que não podia exalar, e, constrangido por uma força superior à sua a escutar até o fim, balbuciava frases raivosas.

    – Está mentindo! Claramente, está mentindo! Você é um miserável! É o ciúme que o levanta contra mim.

    – Talvez – exclamou d'Enneris, voltando-se bruscamente para ele e aceitando enfim aquele duelo direto que até ali recusara. – Talvez, porque eu também amo Arlette. Mas você não tinha senão a mim como inimigo. Seus verdadeiros inimigos agora são seus cúmplices de outrora. É o seu avô, são suas tias que permanecem inabalavelmente fiéis ao passado, enquanto você tenta se regenerar.

– Não conheço esses cúmplices! – exclamou Antoine Fagerault –, ou só os conheço agora como adversários, e sempre lutei para apanhá-los.

– Você lutou porque eles o incomodavam, porque tinha medo de se comprometer e porque queria reduzi-los à impotência. Mas malfeitores, ou melhor, maníacos como eles são difíceis de desarmar. Bem, há um projeto municipal para alargar, no bairro do Marais, um certo número de ruas, entre as quais a Rua Vieille-des-Marais. Se for executado, uma nova rua, mais larga, passará onde hoje é a casa da Valnéry. Ora, isso nem Dominique Martin nem seus filhos podem admitir. A velha mansão é intocável. É carne de sua carne, o sangue de suas veias. Tudo, menos uma destruição que lhes parece um sacrilégio. Laurence Martin inicia negociações com um conselheiro municipal de reputação bastante duvidosa. Presa na ratoeira, tenta escapar, e o velho Dominique mata o senhor Lecourceux com um tiro de revólver.

– E o que é que eu sabia disso? – protestou Antoine. – Foi você que me inteirou do assassinato.

– Que seja. Mas o assassino era seu avô, e Laurence Martin sua cúmplice! E no mesmo dia dirigem seus ataques contra aquela que você ama e que eles condenaram. Com efeito, se você não tivesse conhecido Arlette, e se sua vontade não fosse a de se casar com ela apesar deles, você não teria traído a causa da família. Tanto pior para Arlette. Quando alguém os incomoda, eles o eliminam. Atirada em uma garagem isolada, Arlette teria sido queimada viva pelo fogo que eles acenderam, se você não tivesse chegado a tempo.

– Portanto, um amigo de Arlette! – exclamou Fagerault –, e um inimigo encarniçado desses patifes.

– Sim, mas esses patifes são sua família.

– Mentira!

– Sua família. Ainda que, nessa noite, em uma cena que teve com eles e de que tenho as provas, você tenha reprovado seus crimes e gritado que não queria matar, ainda que os tenha impedido de tocar em um só fio de cabelo de Arlette, você é solidário com seu avô e com suas tias.

– Ninguém é solidário com bandidos! – protestou Fagerault, que a cada ataque cedia terreno.
– Sim, quando foi cúmplice deles, quando roubou com eles.
– Eu não roubei.
– Você roubou os diamantes, e mais ainda, guarda todos consigo, escondidos. Recusa entregar a eles a parte do roubo que lhes caberia. E foi assim que você jogou uns contra os outros, como que tomados de loucura. É uma guerra de morte entre vocês. Perseguidos pela Justiça, assustados, acreditando que você é capaz de entregá-los, eles abandonam a casa e se refugiam em um galpão de subúrbio que lhes pertence. Mas não se deixam prender. Querem os diamantes! E querem salvar a casa da família! E lhe escrevem ou telefonam. Duas noites seguidas, há encontros nos jardins do Champ-de-Mars. Não chegam a um acordo! Você recusa repartir os diamantes e se recusa a renunciar a seu casamento. Então os três empregam o argumento supremo: tentam matar você. Na sombra do jardim, a luta é implacável. Mais jovem e mais forte, você sai vencedor: como Victorine Martin vai para cima de você, você se livra dela com uma facada.

Antoine cambaleou e se tornou lívido. A evocação desse minuto terrível o abalou. Por sua testa escorriam gotas de suor.

– E daí por diante parece que você não tem mais nada a temer. Simpático com todos, confidente do senhor e da senhora de Mélamare, amigo de Van Houben, conselheiro de Béchoux, você é dono da situação. Seus desígnios? Libertar-se do passado, deixando que expropriem e destruam a mansão da Valnéry. Romper definitivamente com os Martin, que você indenizará no momento oportuno. Tornar-se novamente honesto. Casar-se com Arlette. Comprar a mansão da Rua d'Urfé. E, com sorte, reunir em si duas gerações inimigas e usufruir, sem remoso nem receio, dessa mansão e de seus móveis, cujos "duplos" não serão mais pretexto para roubo e crime. Esse é o seu objetivo.

– Um único obstáculo, eu! Eu, de quem você conhece a hostilidade e não ignora os sentimentos por Arlette. Assim, por excesso de prudência, e para não deixar nada ao acaso, você toma suas precauções e procura me comprometer. Não é esse o melhor meio de se garantir? Não é melhor acusar para se defender? E, como teve a presença de espírito de escrever o nome de Arsène Lupin em um papel e enfiá-lo no bolso da velha vendedora, joga com mais esse dado. Arsène Lupin é Jean d'Enneris. Você proclama para os jornais. Lança Béchoux contra mim. Qual de nós dois ganhará a partida? Está tão seguro da vitória que me provoca abertamente. O desenlace se aproxima. É uma questão de horas, uma questão de minutos. Estamos ambos frente a frente e sob os olhos da polícia, Béchoux só tem que escolher um de nós. O perigo é tão iminente para mim que sinto a necessidade de ganhar tempo, como se diz, e de lhe dar um soco bem aplicado.

Antoine Fagerault lançou um olhar ao seu redor, procurando um apoio, uma simpatia. Mas o conde e sua irmã, assim como Van Houben, observavam-no duramente. Arlette parecia ausente, Béchoux tinha um ar implacável de policial que está com a mão em sua presa.

Ele tremeu e, contudo, se reergueu, procurando ainda encarar o inimigo.

– Tem alguma prova?

– Vinte. Há oito dias vivo à sombra dos Martin, que consegui que saíssem do esconderijo. Tenho cartas de Laurence para você e de você para Laurence. Tenho cadernos de anotações, uma espécie de diário escrito por Victorine Martin, a vendedora, onde ela conta toda a história da Valnéry e a história de vocês todos.

– E por que ainda não deu tudo isso à polícia? – balbuciou Antoine, indicando Béchoux com o dedo.

– Porque eu queria primeiro, diante de todos, provar que você é um traidor e um indigno, e porque queria em seguida lhe deixar um meio de se redimir.

– Que meio?

– Devolvendo os diamantes.

– Mas não estou com eles! – exclamou Antoine Fagerault com um sobressalto de fúria.

– Estão em seu poder. Laurence Martin acusou você. Estão escondidos.
– Onde?
– Na mansão da Valnéry.

Antoine se exasperou:

– Então você conhece essa mansão inexistente? Conhece essa mansão misteriosa e fantástica?

– Claro! No dia em que Laurence quis comprar o conselheiro municipal encarregado de certo relatório, e em que eu soube que esse relatório se referia ao alargamento de uma rua, foi fácil para mim saber qual era a rua e encontrar a localização de uma ampla mansão com pátio na frente e jardim nos fundos.

– Pois bem, então por que não nos conduziu a esse lugar? Se você queria me confundir e reclamar os diamantes que escondi ali, por que não estamos na casa da Valnéry?

– Estamos sim – declarou tranquilamente d'Enneris.

– Que é que você está dizendo?

– Estou dizendo que bastou um pouco de clorofórmio para que você dormisse e o trouxéssemos até aqui, com o senhor e a senhora de Mélamare.

– Aqui?

– Sim, na casa de Valnéry.

– Mas não estamos na casa da Valnéry! Estamos da Rua d'Urfé.

– Estamos no salão onde você despojou Régine e para onde trouxe Arlette.

– Não é verdade... não é verdade... – murmurou Antoine, atônito.

– Hein? – zombou d'Enneris. – Era preciso que a ilusão fosse tão perfeita para que você mesmo, bisneto da Valnéry e neto de Dominique Martin, se deixasse enganar!

– Não é verdade! Você está mentindo! Não é possível! – continuou Fagerault, esforçando-se por distinguir entre os objetos certas diferenças que não existiam.

E Jean, impiedoso, continuou:

– Aqui! Foi aqui que você viveu com os Martin! Quase toda a mansão está vazia. Mas este cômodo está com todos os seus móveis. A escada e o pátio conservaram seu aspecto secular. É a mansão da Valnéry.

– Mentira! Mentira! – balbuciou Antoine, torturado.

– Foi aqui. A mansão está cercada. Béchoux veio conosco. Seus agentes estão no pátio e no subsolo. Foi aqui, Antoine Fagerault! Era aqui que Dominique e Laurence Martin, obcecados os dois pela velha mansão fatídica, vinham de tempos em tempos. Quer vê-los? Hein? Quer assistir à prisão deles?

– Vê-los?

– Ora! Se você os vir aparecerem, vai admitir que eles estão na casa deles, e que estamos na Rua Vieille-des-Maris, e não da Rua d'Urfé.

– E vão ser presos?

– A menos – brincou d'Enneris – que Béchoux se recuse...

Sobre a lareira, o pêndulo do relógio soou seis vezes com seu tom ácido. E d'Enneris afirmou:

– Seis horas! Você sabe como eles são pontuais. Outra noite eu os ouvi prometerem dar uma volta até aqui às seis horas exatamente. Olhe pela janela, Antoine. Eles sempre entram pelo fundo do jardim. Olhe.

Antoine tinha se aproximado e olhava, contra a vontade, pelas cortinas de tule. Os outros também, inclinados em suas cadeiras, procuravam ver, imóveis e ansiosos.

E, perto do galpão abandonado, a pequena porta por onde Arlette tinha escapado foi empurrada lentamente. Dominique entrou primeiro, depois Laurence.

– Ah, é terrível! – sussurrou Antoine. – Que pesadelo!

– Não é pesadelo – riu d'Enneris. – É a realidade. O senhor Martin e a senhorita Martin estão dando uma volta por seus domínios. Béchoux, quer fazer o favor de colocar seus homens abaixo daquele cômodo? Sabe? A sala dos velhos vasos de flores. Sobretudo, nada de barulho. Ao mínimo alerta, o senhor Martin e a senhorita Martin desapareceriam como sombras.

A mansão está toda adulterada, eu o avisei, e há sob o jardim uma saída secreta que dá para a rua deserta e desemboca em um estábulo vizinho. É preciso, portanto, esperar que eles estejam a dez passos das janelas. Vocês então vão pular sobre eles e mantê-los amarrados na sala.

Béchoux saiu depressa. Ouviu-se um ruído embaixo. Depois fez-se silêncio.

Lá embaixo, o pai e a filha avançavam passo a passo, com aquele ar de criminosos que talvez não seja de inquietude, mas da atenção contínua em que se adivinha o esforço habitual de olhos e ouvidos e o enrijecimento de todos os nervos.

– Ah, é terrível! – repetiu Antoine.

Mas sobretudo a emoção de Gilberte estava no auge. Ela contemplava com uma angústia indizível a lenta caminhada dos dois infelizes. Para ela e para seu irmão, que acreditavam que estavam em seu salão da Rua d'Urfé, Dominique e Laurence eram os representantes daquela família que tanto os havia feito sofrer. Pareciam sair do passado tenebroso e vir, mais uma vez, atacar os Mélamare para empurrá-los, mais uma vez, para a desonra e o suicídio.

Gilberte escorregou de sua poltrona e caiu de joelhos. O conde cerrou os punhos com raiva.

– Por favor, não se mexa – disse d'Enneris. – E você tampouco, Fagerault.

– Poupe-os! – suplicou Fagerault. – Presos, eles se matarão. Já me falaram isso muitas vezes.

– E daí? Já não fizeram bastante mal?

Agora os dois se achavam bem em frente, a quinze ou vinte passos. Eles exibiam a mesma expressão austera, mais cruel na mulher, mais impressionante no pai, cujo rosto anguloso, despojado de toda humanidade, não tinha mais idade.

De repente, pararam. Barulho? Alguma coisa que havia se mexido em algum lugar? Ou seria o instinto do perigo?

Tranquilizados, recomeçaram a andar ao mesmo tempo.

E de súbito foi como se um batalhão se abatesse sobre eles. Três homens haviam pulado na frente dos dois e os agarraram pela garganta e os punhos antes que tivessem tempo de esboçar um movimento de fuga ou resistência. Nem um grito. Alguns segundos depois, desapareciam, levados para o subsolo. Dominique e Laurence, por tanto tempo procurados, herdeiros invisíveis de tantos crimes sem castigo, achavam-se nas mãos da Justiça.

Houve um momento de silêncio. Gilberte, ajoelhada, rezava. Adrien de Mélamare sentia que a pedra tumular se levantava e que ele podia enfim respirar melhor. Depois, d'Enneris se inclinou sobre Antoine Fagerault e o segurou pelo ombro.

– É a sua vez, Fagerault. Você é o último descendente, aquele que representa a raça maldita, e, como os outros dois, deve pagar sua dívida secular.

Nada mais restava daquele ser de aparência tão feliz e despreocupada que era Antoine Fagerault. Em poucas horas, tinha assumido uma fisionomia de aflição e de ruína. Tremia de medo.

Arlette se aproximou e implorou a d'Enneris.

– Salve-o, eu lhe peço.

– Ele não pode ser salvo – disse d'Enneris. – Béchoux está de vigia.

– Eu lhe peço... – repetiu a jovem. – Basta que você queira.

– Mas é ele que não quer, Arlette. Ele só tem uma palavra a dizer, mas se recusa.

Em um sobressalto de energia, Antoine se ergueu.

– O que devo fazer?

– Onde estão os diamantes?

E como Antoine hesitasse, Van Houben, fora de si, gritou-lhe:

– Os diamantes, vamos...! Senão, sou eu que acabo com você.

– Não perca tempo, Antoine – ordenou d'Enneris. – Volto a repetir, a mansão está cercada. Béchoux já vai mandar seus homens para cá, e são mais numerosos do que você pode pensar. Se quer que eu o salve, fale. Os diamantes?

Ele o segurava por um braço, Van Houben pelo outro. Antoine perguntou:

– Terei minha liberdade?
– Eu lhe juro.
– Para onde irei?
– Vai para a América. Van Houben lhe enviará cem mil francos a Buenos Aires.
– Cem mil! Duzentos mil! – exclamou Van Houben, que prometia tudo naquele momento, mesmo que isso significasse que não iria cumprir... – Trezentos mil!

Antoine ainda hesitava.

– Devo chamar Béchoux? – disse Jean.
– Não... não... espere... vá lá... Pois bem, que seja... concordo.
– Fale.

Em voz baixa, Antoine disse lentamente:

– No cômodo ao lado... no toucador.
– Nada de brincadeiras! – disse Jean. – Esse cômodo está vazio. Todos os móveis foram vendidos.
– A não ser o lustre. O velho Martin o queria mais que tudo.
– E você escondeu os diamantes em um lustre!
– Não. Mas substituí certo número dos cristais menores na coroa de baixo... um a cada dois, exatamente, e uni os diamantes com pequenos fios de ferro, para parecer que estavam pendurados e enfiados como os outros pendentes do lustre.
– Que diabo! É uma maneira bastante esperta que você encontrou! – exclamou d'Enneris. – Subiu na minha estima.

Com a ajuda de Van Houben, ele afastou a tapeçaria e abriu a porta. O toucador estava vazio; apenas do teto pendia um lustre do século XVIII, todo de correntinhas de cristais lapidados.

– Bem, e então? – disse d'Enneris, com espanto. – Onde estão?

Os três procuravam, com a cabeça para cima. Depois Van Houben gaguejou, com voz trêmula:

– Não estou vendo nada... as correntinhas de cristais da coroa de baixo estão incompletas. É isso aí.

– Mas então? – disse Jean.

Van Houben foi buscar uma cadeira, colocou-a sob o lustre e subiu. Logo em seguida, quase perdeu o equilíbrio e caiu. Exclamou:

– Arrancados! Foram roubados mais uma vez.

Antoine Fagerault parecia aturdido.

– Não... vejamos... não é possível. Laurence teria encontrado?

– Claro que sim! – gemeu Van Houben, que mal podia se expressar... Você tinha colocado um diamante de dois em dois lugares, não é?

– Sim... fiz um juramento.

– Pois bem, os Martin levaram tudo... Olhem, os fios de ferro foram cortados um a um com uma pinça... É uma catástrofe...! Nunca vi nada igual...! Justo quando eu acreditava...

Recuperou subitamente a voz, começou a correr e se precipitou no vestíbulo, berrando:

– Ladrões! Ladrões! Atenção, Béchoux, eles estão com meus diamantes! Obrigue-os a falar, os patifes...! Temos que torcer seus punhos e arrancar suas unhas com tenazes.

D'Enneris voltou para o salão, bateu na tapeçaria e disse a Antoine, encarando-o:

– Você me garante que colocou os diamantes naquele lugar?

– Na mesma noite, e eles ainda estavam ali na minha última visita, há uma semana, um dia em que eu sabia que os dois estavam fora.

Arlette havia se aproximado e murmurou:

– Acredite nele, Jean, estou certa de que diz a verdade. E, assim como ele cumpriu a promessa dele, você deve cumprir a sua. Pode salvá-lo.

D'Enneris não respondeu. O desaparecimento das joias parecia desconcertá-lo, e ele repetia entre dentes:

– Estranho... Não dá para entender. Se já estavam com os diamantes, por que voltar...? Onde os teriam escondido...?

Mas o incidente não podia reter por mais tempo sua atenção e, como o conde de Mélamare e sua irmã o apressassem com tanta insistência quanto Arlette, mudou subitamente de expressão e, com o rosto sorrindo, lhes disse:

– Vamos! Vejo que o senhor Fagerault, apesar de tudo, ainda inspira a simpatia de vocês. E, no entanto, parece ter perdido o brilho, o senhor Fagerault. Pois bem, vamos, levante-se, meu velho! Está com um ar de condenado à morte. É Béchoux que lhe mete medo? Pobre Béchoux! Quer que eu lhe mostre como se desembaraçar dele, como escapar entre as malhas de uma rede, como, em vez de parar na prisão, pode ir dormir na Bélgica, em uma boa cama?

Ele esfregou as mãos.

– Sim, na Bélgica, e nesta noite mesmo! O programa lhe agrada, hein? Então bata três vezes na madeira.

Ele bateu o pé três vezes no assoalho. Na terceira vez, a porta se abriu bruscamente, e Béchoux surgiu de um pulo.

– Ninguém passa – exclamou o delegado.

Se d'Enneris brincava, se a irrupção de Béchoux ao sinal indicado lhe pareceu extremamente engraçada, deixando-o a ponto de rir, não aconteceu o mesmo com os outros, que ficaram confusos.

Béchoux fechou novamente a porta e, trágico, solene, como sempre ficava nesses momentos:

– A ordem vale para todos. Ninguém deve sair da casa sem minha permissão.

– Em boa hora – aprovou d'Enneris, que se sentou confortavelmente. – Gosto da autoridade. Isso que você disse é idiota, mas você o disse com convicção. Fagerault, está entendendo? Se quiser sair para passear, será preciso primeiro levantar o dedo e pedir permissão para o delegado.

Imediatamente Béchoux se enraiveceu e exclamou:

– Chega de brincadeiras, você. Temos uma conta a acertar nós dois e mais séria do que você pensa.

D'Enneris desatou a rir.

– Meu pobre Béchoux, você é grotesco. Por que tratar tudo isso como um drama, uma vez que, com a sua presença, você torna a situação cômica?

Entre mim e Fagerault está tudo acertado. Por consequência, não precisa desempenhar seu papel de grande policial e brandir seu mandato.

– O que é que você está cantando aí? O que é que está acertado?

– Tudo. Fagerault não pôde nos entregar os diamantes. Mas, já que o velho Martin e sua filha estão à disposição da Justiça, estamos certos de sua recuperação.

Béchoux declarou, sem nenhuma vergonha:

– Estou me lixando para os diamantes!

– Como você é grosseiro! Expressões tão feias diante de senhoras! De todo modo, estamos todos de acordo aqui, a questão dos diamantes não vem mais ao caso, e, a pedido do conde de Mélamare, da condessa e de Arlette, resolvi ser indulgente com Fagerault.

– Depois de tudo que você nos contou sobre ele? – zombou Béchoux.

– Após tê-lo desmascarado e demolido como você fez?

– O que você quer? Ele me salvou a vida, um dia. Isso não se esquece. Por outro lado, não é um mau rapaz.

– Um bandido!

– Ah! Um meio bandido, no máximo, hábil sem grandeza, engenhoso sem gênio e que tenta nadar contra a corrente. Em suma, um candidato à honestidade. Vamos ajudá-lo, Béchoux: Van Houben lhe deu cem mil francos e eu lhe ofereci uma colocação de caixa em um banco na América.

Béchoux ergueu os ombros.

– Asneiras! Vou enviar os Martin para a delegacia, e ainda há dois lugares em meu carro.

– Tanto melhor! Você vai mais bem acomodado.

– Fagerault...

– Não toque nele... Seria fazer um escândalo em torno de Arlette. Não quero. Deixe-nos tranquilos.

– Ah, isso agora! – exclamou Béchoux, que se irritava mais ainda. – Não compreendeu o que eu disse? Tenho dois lugares além dos Martin, para que a fornada fique completa.

– E pretende levar Fagerault?
– Sim...
– E quem mais?
– Você.
– Eu! Então quer me prender?
– É isso aí – disse Béchoux, colocando rudemente a mão em seu ombro.

D'Enneris mostrou-se espantado.

– Mas ele está louco! Deveriam interná-lo! Como! Desvendo todo o caso. Trabalho como um escravo. Cubro-o de favores, entrego Dominique Martin, entrego Laurence Martin, entrego o segrego dos Mélamare, dou-lhe de presente uma reputação universal, autorizo-o a dizer que foi ele que descobriu tudo, ajudo-o até a obter uma promoção, ser nomeado alguma coisa como um superdelegado. E é assim que você me recompensa?

O senhor de Mélamare e sua irmã escutavam sem dizer uma palavra. Onde o diabo aquele homem queria chegar? Porque, se estava gracejando, não teria suas razões? Antoine parecia menos inquieto. Parecia que Arlette tinha vontade de rir, apesar de sua angústia.

Béchoux declarou, em tom enfático:

– Os dois Martin? Sob a vigilância de um agente e de Van Houben, que não tira os olhos de cima deles. E embaixo, no vestíbulo, ainda tenho três de meus homens, dos mais robustos! No jardim, três outros, também robustos! Venha dar uma olhada, e verá que não são rapazes de água-de-colônia. Ora, todos eles têm ordem de abater você como um cão se tentar escapar. Lá também a ordem é formal. Basta um apito meu e todos se aproximam, e só falam de revólver em punho.

D'Enneris ergueu a cabeça. Não se voltou, e repetiu:

– Você quer me prender. Quer prender este cavalheiro que se chama d'Enneris, este navegador célebre...

– Não, d'Enneris não.

– Quem, então? Jim Barnett?

– Também não.

– Nesse caso...

– Arsène Lupin.

D'Enneris começou a rir.

– Quer prender Arsène Lupin? Ah, isso é cômico! Mas não se prende Arsène Lupin, meu velho. Se ao menos se tratasse de d'Enneris, ou a rigor de Jim Barnett, talvez. Mas Lupin! Vejamos, você não refletiu no que quer dizer, Lupin...?

– Quer dizer, um homem como os outros – exclamou Béchoux –, e que será tratado como merece.

– Quer dizer – continuou firme d'Enneris –, um homem que nunca se deixou prender por ninguém, sobretudo por um coitadinho como você; quer dizer, um homem que não obedece senão a si mesmo, que se diverte e que vive como lhe convém, que gosta de colaborar com a Justiça, mas à sua maneira, que é boa. Dê o fora.

Béchoux foi ficando vermelho. Tremia de fúria.

– Chega de conversa. Sigam-me os dois.

– Não vai ser possível.

– Devo chamar meus homens?

– Eles não entrarão neste cômodo.

– Veremos.

– Lembre-se de que aqui era um refúgio de bandidos e que a casa está toda cheia de truques, de engenhocas ocultas. Quer uma prova?

Girou a pequena rosácea de um painel.

– Basta girar esta rosácea e as fechaduras ficam bloqueadas. Sua ordem é que ninguém saia, a minha é que ninguém entre.

– Eles vão demolir a porta. Vão quebrar tudo! – gritou Béchoux, fora de si.

– Chame-os.

Béchoux tirou do bolo um apito de policial.

– Seu apito não funciona – disse d'Enneris.

Béchoux apitou com toda a sua força. Nenhum som se ouviu. Nada a não ser o vento, que soprava pelas frestas.

A alegria de d'Enneris se redobrou.

– Meu Deus! Que engraçado! E ainda quer lutar? Mas vejamos, meu velho, se eu fosse verdadeiramente Lupin, acha que viria aqui em companhia de uma esquadra de policiais sem tomar minhas precauções? Acha que não previ sua traição e sua ingratidão? Mas a mansão está cheia de truques, meu velho, repito, e conheço todos os mecanismos.

E, bem perto de Béchoux, lançou-lhe no rosto:

– Idiota! Você se lança em uma aventura como um louco. Imagina que, acumulando homens em volta de mim, você me pega! E a saída secreta desta casa de que tanto lhe falei, hein? Essas saídas da Valnéry e dos Martin, que ninguém conhecia, nem mesmo Fagerault, e que descobri? Livre, estou livre para sair quando bem quiser, e Fagerault também. E você nada pode fazer.

Encarando Béchoux, puxou Fagerault para trás de si até a parede, entre a lareira e uma das janelas.

– Entre em uma antiga alcova, Antoine, e procure à direita... Há um painel com uma velha gravura... Todo o painel se desloca... Achou?

D'Enneris vigiava Béchoux atentamente. Este quis usar o revólver. Mas ele lhe segurou o braço.

– Nada de drama! Ria... pois é engraçado! Você não previu nada... nem mesmo a saída secreta, e mesmo que eu lhe devolva o apito, pode trocar por outro. Tome, vá, aí está. Pode usar agora.

Girou em uma pirueta e desapareceu. Béchoux correu para a porta. Uma gargalhada respondeu ao soco que desferiu nela. Depois, ouviu-se algo que disparou e que estalou.

Por mais afobado que estivesse, Béchoux não hesitou. Não perdeu mais tempo machucando os punhos. Apanhou seu apito, subiu na janela, abriu-a e pulou.

Assim que chegou ao jardim, rodeado por seus homens, apitou e, correndo para o galpão abandonado, pela rua pouco frequentada, para onde dava a saída secreta, apitou ainda mais, com sopros vibrantes que rasgavam o espaço.

Na janela, o senhor e a senhora de Mélamare, inclinados, esperavam e olhavam. Arlette suspirou:

– Não os prenderam, não? Seria terrível.

– Não, não – disse Gilberte, que não escondia sua emoção. – Não, não, a noite começa a cair. Não poderão prendê-los.

Os três desejavam ardentemente a salvação dos dois homens, a de Fagerault, ladrão e bandido, e a de d'Enneris, estranho aventureiro cuja personalidade não lhes deixava nenhuma dúvida e que, em todo aquele caso, tinha agido de tal maneira que não se podia deixar de compreender sua posição contra a polícia.

Passou-se quando muito um minuto. Arlette repetiu:

– Seria terrível se eles fossem presos. Mas não é possível, não é?

– Impossível! – disse uma voz alegre atrás dela. – Não vão prendê-los, a menos que encontrem uma saída subterrânea que nunca existiu.

A antiga alcova fora reaberta. D'Enneris estava saindo do pequeno cômodo, assim como Fagerault.

E d'Enneris continuou a rir, e com muito gosto!

– Nada de saída secreta! Nada de painel que desliza! Nada de fechaduras bloqueadas! Nunca uma velha mansão foi tão leal e menos cheia de truques como esta. Mas, veja só, apenas deixei Béchoux em tal estado de excitação nervosa e de credulidade doentia que ele foi incapaz de refletir.

E, muito calmo, dirigindo-se a Antoine:

– Veja, Fagerault, é como em uma peça de teatro, é preciso cuidar da preparação. Quando a cena é bem preparada, resta apenas proceder com afirmações incisivas. E foi assim que Béchoux, tensionado como uma mola, disparou como um bólido na direção que lhe sugeri, e toda a polícia se precipitou para os estábulos da vizinhança, cuja entrada vão derrubar. Veja-os correndo pela relva. Venha, Fagerault, não há tempo a perder.

D'Enneris parecia tão calmo e falava com tanta segurança que toda a agitação cessou em torno dele. Nenhuma ameaça de perigo pairava mais sobre eles. Imaginavam Béchoux e seus inspetores correndo pela rua e quebrando portas.

O conde estendeu a mão a d'Enneris e lhe perguntou:

– Não precisa mais de mim, senhor?

– Não, senhor. O caminho ainda estará livre durante pouco mais de um ou dois minutos.

E inclinou-se diante de Gilberte, que igualmente lhe ofereceu a mão.

– Nunca poderei lhe agradecer o bastante, senhor, pelo que fez por nós – disse ela.

– E pela honra de nosso nome e de nossa família – acrescentou o conde. – Eu lhe agradeço de todo o coração.

– Até logo, minha pequena Arlette – disse d'Enneris. – Diga-lhe adeus, Fagerault. – Ela logo vai lhe escrever: "Para Antoine Fagerault, caixa em Buenos Aires".

Tirou da gaveta de uma mesa uma pequena caixa fechada com elástico, a propósito da qual não deu nenhuma explicação, depois fez uma última saudação e saiu com Fagerault. O senhor e a senhora de Mélamare, assim como a jovem, os seguiam de longe com o olhar.

O vestíbulo estava vazio. No meio do pátio, viam-se dois carros na sombra, que aumentava. Em um, da chefatura, estavam o velho Martin e sua filha, amarrados. Van Houben, de revólver em punho, os vigiava, assistido pelo motorista.

– Vitória! – exclamou d'Enneris, chegando perto de Van Houben. – Havia um cúmplice escondido em um armário. Foi ele quem roubou os diamantes. Béchoux e seus homens foram em sua perseguição.

– E os diamantes? – perguntou Van Houben, que não suspeitava de nada.

– Fagerault os encontrou.

– Estão aí?

– Sim – afirmou d'Enneris, mostrando a caixa que tinha tirado da gaveta e entreabrindo a tampa.

– Meu Deus! Meus diamantes! Dê para mim.

– Sim, mas primeiro vamos salvar Antoine. É a condição. Leve-nos em seu carro.

Desde o instante em que encontraram seus diamantes, Van Houben estava pronto a todo tipo de acordo. Saíram os três do pátio e entraram no carro. Van Houben arrancou logo.

— Para onde vamos? — perguntou.

— Para a Bélgica. A cem quilômetros por hora.

— Está bem — disse Van Houben, arrancando a caixa das mãos de d'Enneris e colocando-a no bolso.

— Como queira — disse Jean. — Mas, se não passarmos a fronteira antes que eles telegrafem da chefatura, eu os pego de volta. Você está avisado.

A ideia de que estava com seus diamantes no bolso, o medo de perdê-los, a força irresistível que d'Enneris exercia sobre ele, tudo isso aturdia Van Houben a ponto de ele não ter outro pensamento a não ser manter a velocidade máxima, jamais diminuir, mesmo ao atravessar vilarejos e alcançar a fronteira.

Chegaram pouco depois da meia-noite.

— Para ali — disse Jean —, duzentos metros antes da alfândega. Vou guiar Fagerault a fim de que nada lhe aconteça, e encontro você aqui em uma hora. Logo voltaremos a Paris.

Van Houben esperou uma hora, esperou duas horas. Foi somente então que uma dúvida o atormentou como um golpe de estilete. Após a partida dos dois, ele havia examinado a situação sob todos os aspectos, havia se perguntado por que d'Enneris tinha agido assim e como ele, Van Houben, resistiria tanto se quisessem tomar a caixa dele. Mas nem por um segundo tinha pensado na hipótese de que pudesse haver outra coisa na caixa senão seus diamantes.

À luz do farol, com a mão trêmula, foi olhar dentro dela. A caixa continha algumas dezenas de cristais lapidados, que evidentemente provinham do lustre mutilado...

Van Houben voltou diretamente para Paris à mesma velocidade. Ludibriado por d'Enneris e Fagerault, compreendeu que não tinha servido senão para transportá-los para fora da França, não tendo esperança, para recuperar seus diamantes, senão nas revelações do velho Martin e de sua filha Laurence.

Mas, chegando, leu nos jornais que na véspera, à noite, o velho Martin havia se enforcado e sua filha, ingerido veneno.

EPÍLOGO
ARLETTE E JEAN

Ainda nos lembramos da viva impressão causada pelo duplo suicídio que encerrou certo dia pesado, de incidentes trágicos, que em grande parte ficaram conhecidos do grande público, e que em outros, que adivinhamos ou procuramos adivinhar, despertaram muita curiosidade. O suicídio dos Martin foi o fim de um caso que apaixonou a opinião pública por semanas, e o fim de um enigma que muitas vezes, nos últimos cem anos, se mostrou em condições tão perturbadoras. E foi ainda o fim de um longo suplício infligido pelo destino à família dos Mélamare.

Coisa imprevista, e natural, no entanto, o delegado Béchoux não obteve desses acontecimentos o benefício moral e profissional que parecia dever desfrutar. Todo o interesse recaiu sobre d'Enneris, ou seja, Arsène Lupin, uma vez que, somando tudo, a imprensa, e em seguida a polícia, viram apenas um e o mesmo personagem sob dois nomes. Lupin foi logo o grande herói da aventura, aquele que decifrou o enigma histórico, esclareceu o mistério das duas mansões semelhantes, divulgou toda a história da Valnéry, salvou os Mélamare e entregou os culpados. Béchoux foi reduzido a um papel de comparsa e de subalterno ridículo, desdenhado por Lupin, ao qual forneceu ingenuamente, assim como o pouco simpático Van Houben, todos os elementos daquela fuga burlesca rumo à fronteira belga.

Mas no que o público inovou, indo mais longe do que a imprensa e mais longe que a polícia, foi atribuir instantaneamente o desaparecimento dos diamantes a Arsène Lupin. Uma vez que Lupin tinha feito tudo, preparado tudo e conseguido tudo, parecia evidente que ele tivesse embolsado tudo. O que nem Béchoux, nem Van Houben, nem os Mélamare entreviram, o público logo admitiu como um ato de fé, e isso tanto pela lógica, talvez, como porque nada oferecia aos acontecimentos uma conclusão mais divertida do que essa escamoteação de última hora.

A exasperação de Béchoux atingiu o paroxismo. Ele era muito perspicaz para não reconhecer que lhe havia faltado clarividência, e não imaginou nem por um minuto se subtrair à verdade que o público espontaneamente proclamava. Mas correu para a casa de Van Houben e o afligiu com suas censuras e seus sarcasmos.

– Hein? Eu não lhe disse logo no início? Aquele demônio encontrou os diamantes, mas você, Van Houben, nunca mais vai revê-los. Todos os nossos esforços não serviram senão a ele, como de hábito. Ele trabalha com a polícia, consegue receber toda a cooperação, abrir todas as portas, e no fim das contas, quando o alvo é atingido, graças a ele, confesso, faz meia-volta e dá o fora com as apostas da partida.

Van Houben, que, doente, extenuado, tivera que ficar de cama, murmurou:

– Estamos ferrados, então? Sem chances de encontrá-los?

Béchoux confessou seu desânimo e disse, com uma humildade não desprovida de nobreza:

– É preciso se resignar. Não há nada a fazer contra esse homem. Na execução de seus planos, utilizou recursos de invenção e de energia inesgotáveis.

A maneira como me impôs a ideia de uma saída secreta, na casa dos Martin, e como me fez sair de um lado para ele poder sair de outro, com as mãos nos bolsos, isso é coisa de gênio. A luta é absurda: por mim, renuncio.
– Pois bem! Eu não! – exclamou Van Houben, erguendo-se.
Béchoux lhe disse:
– Uma última palavra, senhor Van Houben. Por acaso ficou arruinado com a perda desses diamantes?
– Não – admitiu o outro, em um acesso de franqueza.
– Pois bem, contente-se com o que lhe restou e creia-me, não pense mais nesses diamantes. Jamais vai poder revê-los.
– Renunciar a meus diamantes! Jamais revê-los! Mas essa é uma ideia abominável! O quê! Diga-me, a polícia continua suas investigações?
– Sem resultados.
– Mas e o senhor?
– Não me meto mais.
– E o juiz de instrução?
– Vai arquivar o caso.
– É odioso. Com que direito?
– Os Martin estão mortos, e não se tem nenhuma acusação precisa contra Fagerault.
– Que se empenhe atrás de Lupin!
– Para quê?
– Para encontrá-lo.
– Nunca se encontra Lupin.
– E se procurarem por Arlette Mazolle? Lupin tem uma queda por ela. Deve andar em volta da casa dela.
– Já pensamos nisso. Temos agentes vigiando.
– Só?
– Arlette fugiu. Imaginamos que tenha ido se juntar a Lupin fora da França.
– Que diabo! Quanto azar! – exclamou Van Houben.

Arlette não estava foragida. Ela tinha se juntado a Lupin. Mas, cansada de tantas emoções e incapaz de retornar agora ao seu salão de costura, descansava nos arredores de Paris, em uma bela casa rodeada de árvores e com um jardim que descia, por meio de terraços floridos, até a margem do Sena.

Um dia, na verdade, para se desculpar de seu mau humor de uma noite junto de Régine Aubry, ela tinha ido ver a bela atriz, que, agora muito famosa, se preparava para desempenhar um papel em uma grande revista teatral. As duas jovens estavam uma nos braços da outra, e Régine, achando Arlette pálida e preocupada, sem lhe perguntar nada, propôs-lhe repousar uma temporada nessa casa que lhe pertencia.

Arlette logo aceitou e avisou sua mãe. No dia seguinte, foi dizer adeus aos Mélamare, que encontrou felizes, alegres, libertados da doentia submissão a um passado do qual Jean d'Enneris havia tirado a sombra terrível de mistério, e já fazendo planos para renovar e trazer novamente à vida a velha mansão da Rua d'Urfé. E nessa noite mesmo Arlette, sem ninguém saber, partiu de automóvel.

Passaram-se duas semanas, indolentes e aprazíveis. Arlette renascia naquela calma e naquela solidão, e, sob o brilho do sol de julho, retomou a cor fresca e saudável. Servida por criados de confiança, nunca saía do jardim e sonhava à margem do Sena, sobre um banco que abrigava tílias em flor.

Às vezes um barco levando um casal de namorados passava ao longo do rio. Quase todo dia um velho camponês vinha pescar bem ao lado, em um barco amarrado na margem vizinha, entre as pedras que brilhavam na água. Ela conversava com ele, seguindo com os olhos as boias de cortiça que dançavam ao ritmo das pequenas ondas, ou bem se divertia em olhar, sob o grande chapéu de palha em forma de sino, o perfil do bom homem, seu nariz aquilino, seu queixo de pelos rijos como os do colmo.

Uma tarde, quando ela se aproximou, ele lhe fez sinal para não falar, e ela se sentou mansamente ao seu lado. Na ponta de uma longa vara de pescar, a boia afundava e subia em sobressaltos.

Um peixe tentava morder a isca. Ele desconfiava, sem dúvida. A boia voltava à imobilidade. Arlette disse alegremente ao seu companheiro:

– Esse não é para hoje, hein? Vamos ficar de mãos abanando.

– Ao contrário, uma bela pesca, senhorita – murmurou ele.

– No entanto – repetiu Arlette, apontando a linha vazia sobre a água – o senhor não pegou nada.

– Sim.

– O quê?

– Uma pequena Arlette muito bonita.

Ela não entendeu logo: era Jean d'Enneris! Ele havia combinado com o velho camponês e tomara seu lugar por um dia.

Ela se assustou e balbuciou:

– O senhor! Senhor! Vá embora... Ah, eu lhe peço, vá!

Ele tirou o amplo chapéu de palha que lhe cobria a cabeça e disse rindo:

– Mas por que você quer que eu vá, Arlette?

– Tenho medo... eu lhe suplico....

– Medo de quê?

– De todos os que estão à sua procura! Das pessoas que ficam rodeando minha casa em Paris!

– Foi por isso que você desapareceu?

– Foi por isso... tenho tanto medo! Não quero que você caia na armadilha por minha causa. Vá embora!

Ela estava sofrendo. Pegou as mãos dele, e seus olhos lacrimejavam. Então ele lhe disse suavemente:

– Fique tranquila. Eles têm tão poucas esperanças de me encontrar que não me procuram.

– Perto de mim, sim.

– Por que me procurariam perto de você?

– Porque sabem...

Arlette corou completamente. Ele completou:

– Porque sabem que eu a amo e que não posso viver sem ver você, não é?

Ela recuou sobre o banco e, desta vez sem temer, já mais segura com a calma de Jean, retrucou:

– Cale-se... não diga essas coisas... senão eu deverei partir.

Eles se olharam bem no rosto um do outro. Ela ficou admirada de vê-lo tão jovem, muito mais jovem que antes. Sob a camisa do velho camponês, o peito nu, ele tinha o ar de ter sua idade. D'Enneris hesitou um pouco, intimidado subitamente pelos olhos sérios que o examinavam. Em que ela estaria pensando?

– Que é que você tem, minha pequena Arlette? Estou achando que não teve prazer de me ver...

Ela não respondeu. E ele continuou:

– Explique-se. Existe alguma coisa entre nós que nos embaraça, e não gosto nem um pouco disso!

Com uma voz séria, que não era mais a da pequena Arlette, mas de uma mulher mais refletida e que se conservava na defensiva, ela afirmou:

– Só uma pergunta: por que você veio?

– Para ver você.

– Existem outras razões, tenho certeza.

Depois de um instante, ele confessou:

– Pois bem, sim, Arlette, existem outras... Aqui vão. Você vai compreender. Ao desmascarar Fagerault, arruinei todos os seus planos, todos os seus belos projetos de mulher corajosa, que quer fazer o bem. E acredito que era meu dever lhe proporcionar meios de continuar seu esforço...

Ela ouvia distraidamente. O que ele lhe dizia não correspondia à sua expectativa.

No final, ela perguntou:

– É você que está com os diamantes, não é?

Ele disse entre dentes:

– Ah, então é isso o que a preocupa, Arlette? Por que não me falou disso?

Ele exibia um sorriso um pouco ambíguo, onde sua natureza se mostrava de novo.

– Sou eu, na verdade. Eu os descobri no lustre, na noite anterior. Preferi que ninguém soubesse para que a acusação recaísse sobre os Martin.

Nunca imaginei que o público adivinhasse a verdade... essa verdade que é lhe desagradável, não é, Arlette?

A jovem continuou:

– Mas esses diamantes, você vai devolvê-los, não?

– A quem?

– A Van Houben.

– A Van Houben? Nunca na vida.

– Pertencem a ele.

– Não.

– No entanto...

– Van Houben os roubou de um velho judeu de Constantinopla logo após uma viagem que fez, há alguns anos. Tenho prova disso.

– Então pertencem a esse judeu.

– Ele morreu de desgosto.

– Nesse caso, à sua família.

– Ele não tinha. Ninguém sabe seu nome, nem onde nasceu.

– De modo que, definitivamente, você vai ficar com eles?

D'Enneris teve vontade de responder rindo:

"Ora! Não tenho algum direito sobre eles?".

No entanto respondeu:

– Em todo esse caso, Arlette, procurei apenas a verdade, a libertação dos Mélamare e a derrota de Antoine, que eu queria afastar de você. Quanto aos diamantes, servirão para suas obras, e a todas as obras que você me indicar.

Ela ergueu a cabeça e declarou:

– Não quero... não quero nada...

– Por quê, ora?

– Porque renuncio agora a todas as minhas ambições.

– Será possível? Então você desanimou?

– Não, mas refleti. Percebi que quis andar depressa demais. Fiquei aturdida pelo pouco sucesso no início, e me pareceu que não tinha mais nada para realizar.

– Por que mudou de opinião?

– Sou muito jovem. Primeiro, é preciso trabalhar para merecer fazer o bem. Na minha idade, ainda não se tem o direito...

Jean se aproximou.

– Se você recusa, Arlette, é talvez porque não quer esse dinheiro... e porque me culpa... E você tem razão... Uma natureza direita como a sua deve ficar ofendida com certas coisas que dizem sobre mim... e que não desmenti.

– Não se desminta, por favor. Não sei nada e não quero saber nada.

Era evidente que a vida secreta de Jean a obcecava e atormentava. Ela estava ávida por conhecer a verdade, mas desejava ainda mais ardentemente não quebrar o mistério que a atraía e ao mesmo tempo lhe dava medo.

– Você não quer saber quem eu sou? – disse ele.

– Sei quem você é, Jean.

– Quem sou eu?

– Você é o homem que me levou uma vez para casa e me beijou as faces... tão suavemente e de uma maneira que nunca mais pude esquecer.

– O que você está dizendo, Arlette? – perguntou d'Enneris com emoção.

Ela estava novamente corada. Mas não baixou os olhos e replicou:

– Estou dizendo o que não posso mais esconder. Estou dizendo o que domina toda a minha vida, e que não tenho vergonha de confessar, pois é verdade. É isso que você é para mim. O resto não conta. Você é Jean.

Ele murmurou:

– Então você me ama, Arlette?

– Sim – disse ela.

– Você me ama... você me ama... – repetia ele, como se essa confissão o desconcertasse, como se tentasse compreender o significado de tais palavras. – Você me ama... Então era esse o seu segredo?

– Meu Deus, sim – disse ela sorrindo. – Havia o grande segredo dos Mélamare... e depois o segredo daquela que você chamou de enigmática Arlette, e que era simplesmente um segredo de amor.

– Mas por que nunca me confessou?
– Não tinha confiança em você... eu o via tão amável com Régine! Com a senhora de Mélamare... com Régine, principalmente... Fiquei com muito ciúme dela, e por orgulho, por tristeza, me calei. Uma única vez fiquei aborrecida. Mas ela não soube a razão... e você também não, Jean.
– Mas eu nunca amei Régine! – exclamou ele.
– Mas eu acreditava que sim, e estava tão infeliz que aceitei as propostas de Antoine Fagerault... por despeito... por raiva... Além do mais, ele contava mentiras sobre você e Régine. Foi só aos poucos, quando eu o revi na casa dos Mélamare, que compreendi.
– E compreendeu que sempre a amei, não é, Arlette?
– Sim, por várias vezes tive essa impressão. Você mesmo disse diante deles, e me pareceu que era verdade, e que todos os seus esforços, todos os perigos que corria... eram por minha causa. Livrar-me de Antoine era me deixar conquistar por você... Mas, nesse momento, era tarde demais... os acontecimentos, mais forte que eu, me arrastavam.

A emoção de Jean crescia diante de cada uma dessas confissões, pronunciadas tão ternamente e com tanta graça...

– Agora é a minha vez de ter medo, Arlette.
– Por quê, Jean?
– De minha felicidade... e medo também de que você não esteja feliz, Arlette.
– Por que eu não estaria?
– Porque não posso lhe oferecer nada que seja digno de você, minha querida Arlette.

E acrescentou, em voz baixa:

– Não se casa com d'Enneris... Não se casa nem com Barnett, nem com...

Ela colocou a mão sobre a boca dele. Não queria mais ouvir o nome de Arsène Lupin. O nome Barnett também a perturbava e talvez mesmo d'Enneris. Para ela, ele se chamava Jean, simplesmente.

Ela então disse:

– Não se casa com Arlette Mazolle.

– Sim, sim! Você é a criatura mais adorável, e não tenho o direito de desperdiçar sua vida.

– Você não vai desperdiçar minha vida, Jean. O que eu me tornarei um dia ou outro, isso não tem importância. Não vamos falar do futuro. Não vamos olhar para além de certo tempo... e de certo círculo que podemos traçar em torno de nós... e de nossa amizade.

– De nosso amor, você quer dizer.

Ela insistiu:

– Não vamos falar mais de nosso amor.

– Então, de que vamos falar? – disse ele com um sorriso ansioso, porque as menores palavras de Arlette o torturavam e o encantavam. – De que vamos falar? E o que você quer de mim?

Ela murmurou:

– Primeiro, isto, Jean: não me fale com tanta intimidade.

– Que ideia engraçada!

– Sim... toda esta intimidade... eu gostaria...

– Gostaria que nos afastássemos um do outro, Arlette? – perguntou Jean, com o coração apertado.

– Ao contrário. Precisamos nos aproximar, Jean... mas como amigos que não se falam com essa intimidade, que não têm esse direito, que jamais terão essa intimidade.

Ele suspirou:

– Como você me pede coisas difíceis! Você não é mais... não é mais minha pequena Arlette? Enfim, vou tentar. E o que você ainda quer, Arlette?

– Uma coisa bem indiscreta.

– Diga.

– Algumas semanas de sua existência, Jean... dois meses... três meses de ar livre e de liberdade... Será possível isso...? Dois amigos que viajam juntos por belos países? Quando minhas férias terminarem, retornarei ao trabalho. Mas tenho necessidade destas férias... e desta felicidade...

– Minha pequena Arlette...
– Não vá rir de mim, Jean. Eu tinha medo... coisa de costureirinha, o que eu lhe peço é uma ajudazinha! Não é? Você não vai perder seu tempo em uma perfeita amizade comigo, sob a luz do luar, e no pôr do sol?
D'Enneris empalideceu. Contemplava os lábios úmidos da jovem, sua face rosada, seus ombros arredondados, o corpo flexível. Devia renunciar à doçura da espera? No fundo dos olhos claros de Arlette, ele via esse belo sonho de uma amizade pura tão pouco realizável entre dois apaixonados. Mas sentia também que ela não queria refletir demais, nem saber muito em que aventura se envolvia. E ela parecia tão sincera e tão ingênua em seu pedido que ele nem procurou levantar o véu daquele futuro tão próximo.
– Em que você está pensando, Jean?
– Em duas coisas. Primeiro, nos diamantes. Vou desagradá-la se os guardar?
– Muito.
– Vou enviá-los para Béchoux, de maneira que ele vai ter o benefício da descoberta. Bem que lhe devo essa compensação.
Ela agradeceu e continuou:
– E qual é a outra coisa que o preocupa, Jean?
Ele disse seriamente:
– É uma questão terrível, Arlette.
– Qual? Está me deixando perturbada. Algum obstáculo?
– Não exatamente. Mas uma dificuldade a ser resolvida...
– A propósito de quê?
– A propósito de nossa viagem.
– O que é que está dizendo? Essa viagem seria impossível?
– Não. Mas...
– Ah, fale, estou lhe pedindo!
– Bom... está bem, Arlette. Como a gente vai se vestir? Eu estou com esta camisa de flanela, macacão azul e chapéu de palha... Você, Arlette, nesse vestido de percal plissado.
Ela foi tomada por uma gargalhada.

– Ah, Jean, é isso o que adoro em você... sua alegria! Às vezes, ao observar você, a gente diz: "Como ele é misterioso e complicado!". E você causa medo. E depois seu riso dissipa tudo. Você está lá, inteiro, nessa alegria imprevisível.

Inclinando-se sobre ela, Jean beijou a ponta de seus dedos e disse:

– Fique sabendo, minha querida Arlette, que a viagem já começou.

Ela ficou espantada de ver, com efeito, que as árvores do rio deslizavam ao seu lado. Sem que ela tivesse percebido, Jean tinha desfeito as amarras e o barco descia o rio.

– Ah! – disse ela. – Para onde vamos?

– Para muito longe. Mais longe ainda.

– Mas não vai ser possível! O que dirão todos quando não me virem regressar? E Régine? E esse barco, que não lhe pertence?

– Não se preocupe com nada. Aproveite a vida. Foi a própria Régine que me indicou onde você estava recolhida. Comprei o barco, o chapéu de palha, a camisa, e tudo está arranjado. Já que você quer férias, por que esperar?

Ela não disse mais nada. Estendeu-se no fundo do barco com os olhos para o céu. Ele pegou os remos. Uma hora depois, abordaram uma barcaça motorizada, onde foram recebidos por uma mulher de idade que Jean lhe apresentou.

– Victoire, minha velha ama.

A barcaça estava dividida, no interior, em dois alojamentos separados, de aspecto claro e encantador.

– Está em sua casa, deste lado, Arlette.

Eles se reuniram para jantar. Depois, Jean deu ordem para levantar âncora. O barulho do motor zumbia de maneira surda. E partiram rio abaixo, percorrendo rios e canais, através de antigas cidades e das belas paisagens da França.

Mais tarde, altas horas da noite, Arlette se encontrou sozinha, estendida no convés. Confiava, às estrelas e à lua que se erguia, doces pensamentos e sonhos, repletos de uma alegria profunda e serena...